A la Québécoise

Éditeurs:
LES ÉDITIONS LA PRESSE, LTÉE
7, rue Saint-Jacques
Montréal H2Y 1K9

Photographie de la couverture:
TÉLÉMÉTROPOLE

Illustrations (intérieur):
SERVICE DE DOCUMENTATION LA PRESSE

1ère réimpression: 1979

Dépôt légal:
BIBLIOTHÈQUE NATIONALE DU QUÉBEC
4e trimestre 1973

ISBN 0-7777-0066-2

PIERRE DAIGNAULT

A la Québécoise

100
meilleures chansons
de notre folklore

 LA PRESSE

TABLE DES MATIÈRES

Vaut bien mieux, moins d'argent
Chanter, danser, rire et boire
Vaut bien mieux, moins d'argent
Rire et boire plus souvent

REFRAIN

« Lui » a longtemps que je l'aime
Jamais, je ne l'oublierai.

COUPLETS

1 À la claire fontaine,
    M'en allant promener
    J'ai trouvé l'eau si belle
    Que je m'y suis baigné

2 Sous les feuilles d'un chêne
    Je me suis fait sécher
    Sur la plus haute branche
    Le rossignol chantait

3 Chante, rossignol chante
    Toi, qui as le coeur gai!
    Tu as le coeur à rire
    Moi, je l'ai à pleurer

4 J'ai perdu ma maîtresse
    Sans l'avoir mérité
    Pour un bouquet de roses
    Que je lui refusai

5 Je voudrais que la rose
    Fût encor' au rosier
    Et moi et ma maîtresse
    Dans les mêmes amitiés.

A la claire fontaine

A LA CLAI-RE FON-TAI-NE M'EN AL-LANT PRO-ME-NER,

J'AI TROU-VÉ L'EAU SI BEL-LE QUE JE M'Y SUIS BAI-GNÉ

LUI YA LONG-TEMPS QUE JE T'AI-ME JA-MAIS JE NE T'OU-BLIE-RAI

REFRAIN

Fendez du bois, chauffez le four!
Dormez la belle, il n'est encor' jour

COUPLETS

1 A la claire fontaine
  M'en allant promener
  J'ai trouvé l'eau si belle
  Que je m'y suis baigné

2 Sous les feuilles d'un chêne
  Je me suis fait sécher
  Sur la plus haute branche
  Le rossignol chantait

3 Chante, rossignol chante
  Toi qui as le coeur gai!
  Tu as le coeur à rire
  Moi, je l'ai à pleurer

4 J'ai perdu ma maîtresse
  Sans l'avoir mérité
  Pour un bouquet de roses
  Que je lui refusai

5 Je voudrais que la rose
  Fût encor' au rosier
  Et moi et ma maîtresse
  Dans les mêmes amitiés.

A la claire fontaine (version)
(Fendez du bois, chauffez le four)

A LA CLAI - RE FON - TAI - NE, M'EN AL-LANT PRO-ME-

NER, J'AI TROU-VÉ L'EAU SI BEL-LE QUE JE M'Y

SUIS BAI - GNÉ. FEN-DEZ DU BOIS, CHAUF-FEZ LE

FOUR! DOR-MEZ, LA BELLE, IL N'EST PAS ENCOR JOUR!

1 Près de la fontaine
  Un oiseau chantait   *(bis)*
  Un oiseau à la volette *(bis)*
  Un oiseau chantait

2 J'ai couru l'entendre
  Il m'a fait pleurer   *(bis)*
  Il m'a fait, à la volette *(bis)*
  Il m'a fait pleurer

3 Ses petits rebelles
  Voulaient le quitter   *(bis)*
  Voulaient le, à la volette *(bis)*
  Voulaient le quitter

4 Mais leur pauvre mère*(bis)*
  Leur disait, rester
  Leur disait, à la volette *(bis)*
  Leur disait rester

5 L'oiseleur vous guette
  Vous serez happés   *(bis)*
  Vous serez, à la volette *(bis)*
  Vous serez happés

6 Les petits partirent
  Riant des dangers   *(bis)*
  Riant des, à la volette *(bis)*
  Riant des dangers

7 Le renard avide
  Les a tous mangés   *(bis)*
  Les a tous, à la volette *(bis)*
  Les a tous mangés

8 Et leur pauvre mère
  Les a tous pleurés   *(bis)*
  Les a tous, à la volette *(bis)*
  Les a tous pleurés

A la volette

PRÈS DE LA FON - TAI- NE UN Oi - SEAU CHAN -TAIT PRÈS DE LA FON - TAI-NE UN Oi - SEAU CHAN - TAIT UN Oi - -SEAU A LA VO - LET-TE UN Oi - SEAU A LA VO- LET-TE UN Oi- SEAU ChAN - TAIT

REFRAIN

Alouette, gentille alouette,
Alouette, je t'y plumerai.

COUPLETS

1 Je t'y plumerai la tête
  Je t'y plumerai la tête
  Et la tête (*bis*)
  Alouette (*bis*)
  Ah! (*au refrain*)

2 Je t'y plumerai les yeux
  Je t'y plumerai les yeux
  Et les yeux (*bis*)
  Et la tête (*bis*)
  Alouette (*bis*)
  Ah! (*au refrain*)

3 Je t'y plumerai le bec

4 Je t'y plumerai le cou

5 Je t'y plumerai les ailes

6 Je t'y plumerai les pattes

7 Je t'y plumerai le dos

8 Je t'y plumerai la queue.

Alouette

A - LOU - ET - TE GENT-TILLE A - LOU - ET - TE, A - LOU - ET - TE
JE T'Y PLU - ME RAI, JE T'Y PLU - ME - RAI LA TÊTE, JE T'Y
PLU - ME - RAI LA TÊTE, ET LA TÊTE, ET LA TÊTE, A - LOU - ETTE, A - LOU - ETTE,
Ah!

REFRAIN

En avant la grosse Hortense
Le long du mur boum boum!
Ayez pitié, messieurs, mesdames
Du pauvre aveugle qui ne voit rien
Prenez garde au tambour
Qui fait boum, boum, boum!
N'allez pas chez l'marchand d'vin
Qui fait le coin, coin, coin.

COUPLETS

1 Un B avec un a fait Ba
    Un B avec un é fait Bé
    Un B avec un i fait Bi
    Avec un o, fait Bo
    Ba-bé-bi-ba-bé-bi-bo
    Un B avec un u
    Ba-bé-bi-bo-bu *(au refrain)*

2 Un D avec un a fait Da
    Un D avec un é fait Dé
    Un D avec un i fait Di
    Avec un o fait do
    Da-dé-di-da-dé-di-do
    Un D avec un u
    Da-dé-di-do-du *(au refrain)*

(On peut ajouter le nombre de couplets désirés
On n'a qu'à employer une nouvelle consonne)

L'alphabet

Nous irons sur l'eau
Nous irons nous promener
Nous irons jouer dans l'î-île.

COUPLETS

1 A Saint-Malo beau port de mer (*bis*)
   Trois gros navires sont arrivés

2 Trois gros navires...
   Chargés d'avoine, chargés de blé

3 Chargés d'avoine...
   Trois dam's s'en vont les marchander

4 Marchand, marchand, combien ton blé?

5 Trois francs l'avoin', six francs le blé

6 C'est bien trop cher d'une bonn' moitié

7 Montez, mesdam's, vous le verrez

8 Marchand tu n'vendras pas ton blé

9 Si je l'vends pas, je l'donnerai

10 A c'prix-là, on va s'arranger.

A St-Malo, beau port de mer

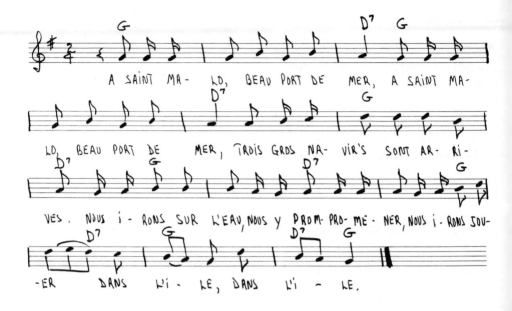

A SAINT MA- LO, BEAU PORT DE MER, A SAINT MA-

LO, BEAU PORT DE MER, TROIS GROS NA- VIR'S SONT AR- RI-

VES. NOUS i- RONS SUR L'EAU, NOUS y PROM- PRO- ME- NER, NOUS i- RONS JOU-

-ER DANS L'I- LE, DANS L'I - LE.

Au bois du rossignolet, relet, relet
Au bois du rossignolet

COUPLETS
1 M'en allant promener, relé relé
  Le long du grand chemin, relin, relin
  Le long du grand chemin
  Je me suis endormi, reli, reli,
  A l'om, relon, relon -bre
  Sous, relou, relou
  Z'un pin, relin, relin (*au refrain*)

2 Je me suis endormi, reli, reli
  A l'ombre sous un pin relin, relin
  A l'ombre sous un pin
  Je me suis réveillé, relé, relé,
  Le pin relin, relin, était, relait, relait
  Fleuri, reli, reli.

3 Ah! J'ai pris mon couteau, relo, relo
  La bran, relan, relanche,
  J'ai, relé, relé, coupée, relé, relé.

4 Je m'en fis un flûtiau, relo, relo
  Un fla, rela, rela-geolet, relet, relet
  Aussi, reli, reli

5 M'en allant en chantant, relan, relan
  Le long, relon, relon, du grand, relan, relan,
  Chemin, relin, relin.

6 Ah! savez-vous, messieurs, releu, releu
  Ce que, rele, rele, ma flû, relu, relute
  A dit, reli, reli.

7 Ah qu'il est doux d'aimer, relé, relé
  La fi, reli, reli, de son relon, relon
  Voisin, relin, relin

8 Quand on l'a vue le soir, rela rela-r
  On la, rela, rela, voit le, rele, rele,
  Matin, relin, relin

Au bois du rossignolet

M'EN AL-LANT PRO-ME- NER, RE- LÉ, RE- LÉ, LE LONG DU GRAND CHE- MIN RE- LIN, RE- LIN, LE LONG DU GRAND CHE- MIN. JE ME SUIS EN-DOR- MI RE-LI, RE-LI, A L'OM, RE-L'OM, RE-LOM-BRE, SOUS, RE-LOU, RE-LOU, Z-UN PIN, RE-LIN, RE-LIN, AU BOIS DU ROS-SI-GNO- LET, RE-LET, RE-LET. AU BOIS DU ROS-SI-GNO- LET.

REFRAIN
Au chant de l'alouette, je veille et je dors
J'écoute l'alouette et puis je m'endors.

COUPLET

1 Mon père m'envoit à l'arbre, c'est pour cueillir (*bis*)
  Je n'ai point cueilli, j'ai cherché des nids

2 Je n'ai point cueilli, j'ai cherché des nids (*bis*)
  J'ai trouvé la caille dessus sur son nid

3 J'ai trouvé la caille dessus sur son nid (*bis*)
  J'y marchai sur l'aile et la lui rompis

4 J'y marchai sur l'aile et la lui rompis (*bis*)
  Elle me dit pucelle, retire-toi d'ici

5 Elle me dit pucelle, retire-toi d'ici (*bis*)
  Je n'suis point pucell' car tu as menti

Au chant de l'alouette

MON PÈR' M'EN-VOIT À L'AR-BRE, C'EST POUR CUEIL-LIR MON PÈR' M'EN-VOIT À L'AR-BRE, C'EST POUR CUEIL-LIR, JE N'AI POINT CUEIL-LI, J'AI CHER-CHÉ DES NIDS. AU CHANT DE L'A-LOU-ET-TE JE VEILLE ET JE DORS, J'É-COU-TE L'A-LOU-ET-TE, PUIS JE M'EN-DORS.

REFRAIN

Auprès de ma blonde
Qu'il fait bon, fait bon, fait bon
Auprès de ma blonde
Qu'il fait bon dormir

COUPLETS

1 Au jardin de mon père
   Les lauriers sont fleuris
   Tous les oiseaux du monde
   Viennent y faire leurs nids

2 La caille, la tourterelle
   Et la jolie perdrix
   Le rossignol y chante
   Et le jour et la nuit

3 Il chante pour les belles
   Qui n'ont point de mari
   Il ne chante pas pour elle
   Elle en a un joli

4 Il n'est pas dans la danse
   Car il est loin d'ici
   Il est dans la Hollande
   Les Hollandais l'ont pris

5 Que donneriez-vous belle
   Pour voir votre mari
   Je donnerais Versailles
   Paris et Saint-Denis

6 Le royaume de mon père
   Et de ma mère aussi
   Et la blanche colombe
   De mon jardin joli.

Auprès de ma blonde

AU JAR-DIN DE MON PÈRE, LES LAU-RIERS SONT FLEU--RIS TOUS LES OI-SEAUX DU MONDE, VONT Y FAI-RE LEURS NIDS AU-PRÈS DE MA BLON-DE QU'IL FAIT BON, FAIT BON, FAIT BON, AU-PRÈS DE MA BLON-DE QU'IL FAIT BON DOR-MIR.

REFRAIN
Vogue, marinier, vogue
Vogue, beau marinier.

COUPLETS

1 Dimanche après les Vêpres
  Y aura bal chez Boulé
  Mais il n'ira personne
  Que ceux qui savent danser-é

2 José Blais comme les autres
  Voulut itou y aller
  Non, lui dit sa maîtresse
  T'iras quand l'train s'ra faite-ette

3 Il s'en fut à l'étable
  Les animaux soigner
  Prit Barrette par la corne
  Et Rougette par le pied-é

4 Il saute à l'écurie
  Pour ses chevaux gratter
  Se sauve à la maison
  Quand ils furent étrillés-é

5 Mit sa bell' veste rouge
  Et son capot barré
  S'en va chercher Lisette
  Quand il fut ben greyé-é

6 On le mit à la porte
  Pour apprendre à danser
  Mais on garda Lisette
  Qui s'est ben consolée-é

Bal chez Boulé

DI - MANCHE A-PRÈS LES VÊPRES Y-AU - RA BAL CHEZ BOU-
-LÉ MAIS IL N'I - RA PER - SONNE QUE CEUX QUI SAVENT DAN-
-SER VO - GUE MA-RI-NIER, VO - GUE VO - GUE BEAU MA-RI-
- MIER.

REFRAIN

Sur la vigne des vignes
Trempette, la vignolette oh gai!
Gai! sur la vigne des vignes
Bon, bon, sur la vignola *(bis)*

COUPLETS

1 Baptiste, veux-tu tirer mes vaches, sur la vignola
   Je te donnerai de ma galette *(au refrain)*

2 Je te donnerai de ma galette, sur la vignola
   Reste à savoir qu'est-ce qui l'a faite *(au refrain)*

3 Reste à savoir qu'est-ce qui l'a faite, sur la vignola
   C'est ma petite soeur Josette *(au refrain)*

4 C'est ma petite soeur Josette, sur la vignola.
   Elle avait-elle, les mains bien nettes *(au refrain)*

5 Elle avait-elle les mains bien nettes sur la vignola
   Elle venait d'frotter ses chaussettes *(au refrain)*

6 Elle venait d'frotter ses chaussettes, sur la vignola
   Elle a tout mis dans sa galette *(au refrain)*

7 Elle a tout mis dans sa galette, sur la vignola
   Si bien qu'Baptist' en est mort frette *(au refrain)*

Baptiste veux-tu tirer mes vaches

BAP - TISTE VEUX TU TIR- ER MES VA - CHES,

SUR LA VI-GNO-LA JE TE DON- NERAI DE

MA GA- LET- TE SUR LA VIGNE DES VIGNES TREM-PETTE LA VI-GNO-LET-TE

Oh GAI! GAI! SUR LA VIGNE DES VIGNES BON, BON, SUR LA

VI - GNO- LA .

REFRAIN

Puis donne du « slack »
Puis lève la patte
Puis tape sus l'sac
Et ron ron ron
Et tin tin tin
Martin la grand' barbe
Il s'appelait Tintin
La barbe à Martin.

COUPLETS

1 Quand Martin revint de son labourage (*bis*)
  Il cria de loin: « Mettez-moi la table » (*au refrain*)

2 Il cria de loin...
  Il tirait ses poules à la plac'd'ses vaches

3 Il tirait ses poules...
  Il coulait son lait, dans une vieille savate

4 Il coulait son lait...
  Il faisait son beurre dans l'oreille d'sa chatte

5 Il faisait son beurre...
  Viens donc voir ma vieille, quelle belle barate

6 Viens donc voir ma vieille....
  On dirait pas ça, c'est ben fin une chatte.

La barbe à Martin

QUAND MAR-TIN RE - VINT DE SONT LA-BOU- RA - GE.

iL CRI- A DE LOiN, "MET-TEZ- MOi LA TABLE" PUiS DONNE DU "SLACK", PUiS

LÈVE LA PATTE, PUiS TAPE SUS L'SAC, ET RON RON RON, ET TiN TiN TiN

MAR-TiN LA GRAND' BARBE iL S'AP-PE- LAiT TiN-TiN. LA BARBE A MAR-TiN.

Le bon vin m'endort, l'amour me réveille
Le bon vin m'endort, l'amour me réveill' encor'

COUPLETS

1 Passant par Paris, vidant la bouteille (*bis*)
  Un de mes amis me dit à l'oreille, oui, buvons

2 Un de mes amis...
  Pierr' prends garde à toi, on courtise ta belle, oui buvons

3 Pierre prends...
  Courtis' qui voudra, je me fie en elle, oui buvons

4 Courtis' qui...
  J'ai eu de son coeur, la fleur la plus belle, oui buvons

5 J'ai eu de son coeur...
  Dans un beau lit blanc, greyé de dentelles, oui buvons

6 Dans un beau lit...
  J'ai eu trois garçons, tous trois capitaines, oui buvons

7 J'ai eu trois...
  Deux sont à Paris, l'autr' à La Rochelle, oui buvons

8 Deux sont à Paris...
  Et l'pèr' est ici, qui bat la semelle, oui buvons.

Le bon vin m'endort

PAS-SANT PAR PA - RIS VI-DANT MA BOU - TEIL- LE UN DE
MES A - MIS ME DIT A L'O - REIL- LE. BON. BON.
BON. LE BON VIN M'EN - DORT L'A-MOUR ME RÉ-
VEILL' EN - COR.

REFRAIN

Ah! ça r'vol!, ça r'vol!, ça r'vol!
Les boutons d'culotte, les boutons d'culotte
Ah! ça r'vol', ça r'vol', ça r'vol'
Les boutons d'culotte, ça r'vole partout

COUPLETS

1 Par un beau soir dans une veillée
   Où tout le mond' s'est amusé
   Pis là, y a grand'mère qui chantonne
   Alors, tout l'mond' se déboutonne
   Et pis on danse un rigodon
   J'vous dis que ça r'vol' les boutons (*au refrain*)

2 Ti Pierre fait danser la Louise
   Jusqu'à temps qu'elle s'épuise
   Il y a le gros Gédéon
   Qui dans' rien qu'sur ses chaussons
   Comme de raison et beau dommage
   Ça sent rien qu'le vieux fromage

3 Midas fait trembler la maison
   A force de se secouer l'coton
   Y a pus rien qu'un p'tit bouton
   Qui lui soutient son pantalon
   Tout à coup, il va s'éjarer
   Et l'p'tit bouton s'en va r'voler

4 Alors c't'un tableau pas banal
   Pour une veillée si joviale
   Les créatures s'cachent le visage
   Et les hommes le démoniage
   Quant à Midas en queue d'chemis'
   Y essaie de cacher sa surprise

5 La danse finie, y a des vapeurs
   Qui vous sentent rien qu'la p'tite sueur
   Faut voir la grosse Poméla
   S'faire sécher en d'sous des bras
   Gédéon ôte ses chaussons
   Là tout l'monde sort de la maison

Les boutons d'culotte

PAR UN BEAU SOIR DANS UNE VEIL-LÉE OÙ TOUT LE MONDE S'EST A-MUSÉ PIS LÀ, Y'A GRAND'-MÈRE QUI CHAN-TONNE ALORS TOUT L'MOND' SE DÉ-BOU-TONNE ET PIS ON DANSE UN RI-GO-DON J'VOUS DIS QUE ÇA R'VOL' LES BOU-TONS Ah! ÇA R'VOL', ÇA R'VOL', ÇA R'VOL', LES BOU-TONS D'CU-LOT-TE LES BOU-TONS D'CU-LOT-TE Ah! ÇA R'VOL, ÇA R'VOL, ÇA R'VOL. LES BOU-TONS D'CU-LOT-TE ÇA R'VOL PARTOUT

REFRAIN

Ah! Ah! les Canayens sont un peu là (bis)

COUPLETS

1 Y en a qui aiment la bonn' cuisine
   Des fêves au lard et des p'tits pois
   Du lard salé, aussi des « bines »
   Y en a qu'aiment ça, d'autres qu'en mangent pas
   Des cornichons, pis d'la salade
   Y en a qu'en mangent s'en rendre malade
   Mais pour manger d'la soupe aux pois
   Les Canayens sont un peu là *(au refrain)*

2 Y a plusieurs manièr's de se battr'
   Les Italiens c'est l'poignardeau
   L'Américain sur la tomate
   Fesse à coups d'pieds, à coups d'marteau
   Mais les Anglais sans une brique
   Ça ne vaut rien, même pas une chique
   Quand il s'agit d'fesser dans l'tas
   Les Canayens sont un peu là *(au refrain)*

3 On voit des portraits dans la Presse
   Des gross's famill's on n'en manque pas
   De douze enfants et même de seize
   Ça pouss' pas tout seul ce mond' là
   Il faut bien croire que nos pères
   Pour nous él'ver ont d'la misère
   Mais pour peupler le Canada
   Les « Canadiennes » sont un peu là

DERNIER REFRAIN

Ah! Ah! Les Canadiennes sont un peu là (bis)

Les canayens sont un peu là

Y'EN A QUI AIM'NT LA BONN' CUI - SIN. DES FEVES AU
LARD ET DES P'TITS POIS OU BIEN DU LARD AUS-SI DES BINES, Y'EN A QU'EN
MANQ'NT D'AUTRE EN MANQ PAS DES COR-NI-CHONS PIS D'LA SA-LA-DE Y'EN A QU'EN
MANQ'NT A S'RENDR' MA-LA-DE MAIS POUR MAN-GER D'LA SOUP AUX POIS. LES CA-NA-
YENS SONT UN PEU LA. AH! AH! LES CA-NA-YENS SONT UN PEU
LA.

REFRAIN

En avant la cantinière
La cantinière, du régiment
En avant, la cantinière
La cantinière, du régiment

COUPLETS

(NOTE : Cette chanson est une chanson militaire — Cependant, on peut remplacer les mots, officier, commandant etc. par des noms, comme Monsieur Auger, Monsieur Leblanc etc.)

1 La cantinière a de beaux souliers (*bis*)
   Cela dépend d'nos officiers (*bis*)
   Nos officiers sont militaires
   Vive la jolie cantinière
   Un, deux !

2 La cantinière a de beaux gants (*bis*)
   Cela dépend d'nos commandants (*bis*)
   Nos commandants sont militaires
   Vive la jolie cantinière
   Un ! deux !

3 La cantinière est d'bonn' humeur (*bis*)
   Cela dépend de nos chanteurs (*bis*)
   Nos chanteurs sont militaires
   Vive la jolie cantinière
   Un ! deux !

La cantinière

LA CAN-TI NIÈRE A D'BEAUX SOU-LIERS, LA CAN-TI-
NIÈRE A D'BEAUX SOU-LIERS, CE-LA DÉ-PEND D'NOS OF-FI-
-CIERS, CE-LA DÉ-PEND D'NOS OF-FI CIERS NOS OF-FI-
CIERS SONT MI-LI-TAI-RES, VI-VE LA JO-LIE CAN-TI-
NIÈ-RE! UN! DEUX!, EN A-VANT! LA CAN-TI-
NIÈ-RE, LA CAN-TI-NIÈ-RE DU RÉ-GI-MENT,
EN A-VANT! LA CAN-TI-NIÈ-RE, LA CAN-TI-
NIÈ-RE DU RÉ-GI-MENT!

(Version)

REFRAIN
Son pied dit-on, ton, ton ton
Son pied dit-on, son mignon

COUPLETS
1 Catherinette a mal à son pied (*bis*)
  (*au refrain*)

2 Catherinette a mal à sa jamb' (*bis*)
  Sa jambe bien faite (*au refrain*)

3 Catherinette a mal à son g'nou (*bis*)
  Son genou rougeau
  Sa jambe bien faite (*au refrain*)

  (On remonte ainsi à chacun des couplets suivants)

4 Catherinette a mal à son dos (*bis*)
  Son dos arrondi...

5 Catherinette a mal à son bras (*bis*)
  Son bras décharné...

6 Catherinette a mal à son cou (*bis*)
  Son cou maigrichon...

7 Catherinette a mal à son nez (*bis*)
  Son nez tout crochu...

8 Catherinette a mal à son front (*bis*)
  Son front bosselé...

9 Catherinette a mal à sa tête (*bis*)
  Sa tête pouilleuse...

Catherinette

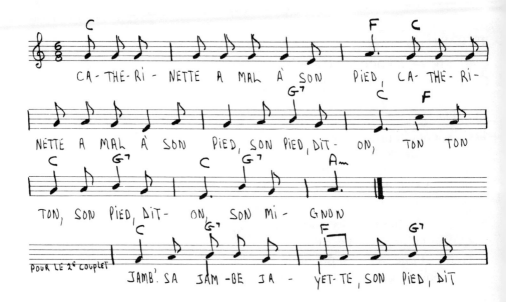

CA - THE - RI - NETTE A MAL À SON PIED, CA - THE - RI -

NETTE A MAL À SON PIED, SON PIED, DIT - ON, TON TON

TON, SON PIED, DIT - ON, SON MI - GNON

POUR LE 2ᵉ COUPLET

JAMB'. SA JAM - BE JA - YET - TE, SON PIED, DIT

REFRAIN

C'est à boire, à boire mesdames
C'est à boire qu'il nous faut.

COUPLETS

1 C'étaient cinq ou six bon bougres   *(bis)*
   Sur la route de Baie Comeau
   Ils entrèrent dans une auberge
   Pour y boire du vin nouveau — Oh! *(au refrain)*

2 Chacun fouilla dans sa poche   *(bis)*
   Quand fallut payer l'écot
   Le plus riche, dans sa poche
   Ne trouva qu'un écu faux — Oh!

3 Qu'on leur prenn' dit la patronne   *(bis)*
   Leurs casquettes et leurs capots
   Ne faites pas ça bonne hôtesse
   Dirent les soldats tout penauds — Oh!

4 Nous somm's partis à la guerre   *(bis)*
   Depuis six grands mois bientôt
   Nous n'avons pour tout' fortune
   Qu'nos casquett's et nos capots — Oh!

5 Si vous revenez de la guerre   *(bis)*
   Dit la patronne aussitôt
   Buvez donc, beaux militaires
   Tout le vin de mes tonneaux — Oh!

C'est à boire qu'il nous faut

C'É-TAIENT CINQ OU SIX BONS BOU-GRES, SUR LA ROUTE DE BAIE CO-MEAU, ILS EN-TRÈRENT DANS UNE AU-BER-GE POUR Y BOIRE DU VIN NOU-VEAU OH! C'EST À BOIRE, A' BOIRE MES-DA - MES, C'EST À BOI - RE OÙ'iL NOUS FAUT.

COUPLETS

1 C'est la belle Françoise, lon gai
   (*choeur*) C'est la belle Françoi-oise
   Qui veut s'y marier, maluron, lurette
   Qui veut s'y marier, maluron, luré (*bis*)

2 Son amant va la voire, lon gai
   (*choeur*) Son amant va la voi-oire
   Bien tard, après souper, maluron lurette
   Bien tard, après souper maluron luré (*bis*)

3 Il la trouva seulette, lon gai
   (*choeur*) Il la trouva seulet-ette
   Sur son lit qui pleurait maluron lurette
   Sur son lit qui pleurait maluron luré (*bis*)

4 Ah! qu'a' vous donc, la belle lon gai.
   (*choeur*) Ah qu'avez-vous donc la bel-elle
   Qu'a-vous, à tant pleurer, maluron, lurette
   Qu'a' vous à tant pleurer maluron, luré (*bis*)

5 On m'a dit, hier au soire, lon gai
   (*choeur*) On m'a dit hier au soi-oire
   Qu'à la guerr' vous alliez, maluron lurette
   Qu'à la guerr' vous alliez maluron, luré (*bis*)

6 Ceux qui vous l'ont dit, belle, lon gai
   (*choeur*) Ceux qui vous l'ont dit bel-elle
   Ont dit la vérité maluron lurette
   Ont dit, la vérité, maluron luré (*bis*)

7 Adieu belle Françoise, lon gai
   (*choeur*) Adieu Belle Françoi-oise
   Je vous épouserai, maluron, lurette
   Je vous épouserai, maluron luré (*bis*)

8 Au retour de la guerre, lon gai
   (*choeur*) Au retour de la guer-erre
   Si j'y suis respecté maluron, lurette
   Si j'y suis respecté maluron, luré (*bis*)

C'est la belle Françoise

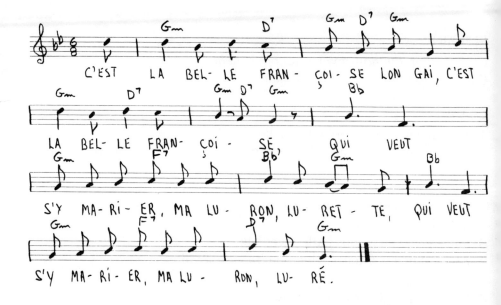

C'EST LA BEL-LE FRAN - COI-SE LON GAI, C'EST

LA BEL-LE FRAN-COI - SE, QUI VEUT

S'Y MA-RI-ER, MA LU-RON, LU-RET - TE, QUI VEUT

S'Y MA-RI-ER, MA LU-RON, LU-RÉ.

REFRAIN

C'est l'aviron qui nous mène, qui nous mène
C'est l'aviron qui nous mène en haut

COUPLETS

1 M'en revenant de la Jolie Rochelle (*bis*)
   J'ai rencontré trois jolies demoiselles

2 J'ai point choisi, mais j'ai pris la plus belle (*bis*)
   J'l'y fis monter derrièr' moi, sur ma selle

3 J'y fis cent lieues sans parler avec elle (*bis*)
   Au bout de cent lieues, elle me d'mandit à boire.

4 Je l'ai menée auprès d'une fontaine (*bis*)
   Quand elle fut là, elle ne voulut point boire

5 Je l'ai menée au logis de son père (*bis*)
   Quand elle fut là, elle buvait à pleins verres

6 A la santé de son père et sa mère (*bis*)
   A la santé d'celui que son coeur aime.

C'est l'aviron qui nous mène

M'EN RE- VE- NANT DE LA JO- LIE RO- CHEL- LE.

M'EN RE- VE- NANT DE LA JO- LIE RO- CHEL- LE J'AI REN-CON-

TRÉ TROIS JO- LIES DE-MOI- SEL- LES. C'EST L'A- VI- RON QUI NOUS

MÈ- NE QUI NOUS MÈ- NE C'EST L'A- VI- RON QUI NOUS MÈNE EN

HAUT

1 C'était un p'tit moine le soir,
   Le soir après, ouichten, ouiche
   Le soir après tanturlure
   Le soir après souper (*bis*)

2 Il s'en va voir la bell' couchée
   Couchée sur son ouichten, ouiche
   Couchée sur son tenturlure
   Sur son lit qui pleurait (*bis*)

3 Qu'avez-vous donc la belle, qu'à-vou
   Qu'avez-vous donc, ouichten, ouiche
   Qu'avez-vous donc tanturlure
   Qu'avez-vous à tant pleurer (*bis*)

4 J'encore mon lit à faire, ma vache
   Et ma vach' à, ouichten, ouiche
   Et ma vach' tanturlure
   Et ma vache à tirer. (*bis*)

5 Le p'tit moin' prend le pote, le pot'
   Prend le pot', ouichten, ouiche
   Prend le pot', tanturlure
   Il prend le pot au lait (*bis*)

6 Il s'en va-t-à Maurette-Maurett'
   Maurette donn' ouichten, ouiche
   Maurette donn' tanturlure
   Maurette donne ton lait (*bis*)

7 Maurette était guinguette, elle a,
   Elle a joué, ouichten, ouiche
   Elle a joué tanturlure
   Elle a joué du jarret (*bis*)

8 A j'té le petit moine, le dos
   Le dos dans un ouichten, ouiche
   Le dos dans un tanturlure
   Le dos dans un fossé (*bis*)

C'était un p'tit moine

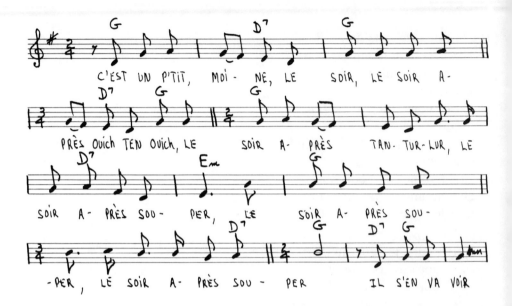

C'EST UN P'TIT, MOI - NE, LE SOIR, LE SOIR A-
PRÈS OUICH TEN OUICH, LE SOIR A - PRÈS TAN-TUR-LUR, LE
SOIR A - PRÈS SOU - PER, LE SOIR A - PRÈS SOU-
-PER, LE SOIR A - PRÈS SOU - PER IL S'EN VA VOIR

1 Chevalier de la table ronde   (bis)
   Allons voir, si le vin est bon
   Allons voir, oui, oui, oui
   Allons voir, non, non, non.
   Allons voir, si le vin est bon

2 J'en boirai cinq à six bouteilles   (bis)
   Une femm' sur mes genoux
   Une femme, oui, oui, oui
   Une femme, non, non, non.
   Une femme sur mes genoux

3 Si je meurs, je veux qu'on m'enterre (bis)
   Dans une cav' où y a du bon vin
   Dans une cave, oui, oui, oui
   Dans une cave, non, non, non.
   Dans une cave où y a du bon vin

4 Les deux pieds contre la muraille   (bis)
   Et la têt', sous le robinet
   Et la têt', oui, oui, oui
   Et la tête, non, non, non.
   Et la tête sous le robinet

5 Sur ma tombe, je veux qu'on inscrive (bis)
   Ici-gît, le roi des buveurs
   Ici-gît, oui, oui, oui
   Ici-gît, non, non, non.
   Ici-gît, le roi des buveurs.

Chevalier de la table ronde

1 Dans l'rang d'Saint Dominique
Par un beau soir, comme ça
S'en allait Majorique
Un vrai beau gars, comme ça
Voir la d'moisell' Phonsine
Qu'il chérissait comme ça
Il la trouvait donc fine
Il lui disait comme ça
Qu'il la trouvait donc fine (ter)
Il lui disait comme ça

2 En arrivant chez elle
Il se gourmait comme ça
« Bonsoir, la demoisell' »
Qu'il murmurait comme ça
Tous deux sur la berceuse
Ils se berçaient comm' ça
Que vous m'rendez heureus'
Quand vous m'jasez comme ça
Que vous m'rendez heureus' (ter)
Quand vous m'jasez comme ça

3 « C'est que, mam'zell' Phonsine
Je vous dirai comme ça
Un grand secret m'taquine
J'peux par rester comme ça
Je cherch' un' bell' p'tit' femme
Qui m'chérirait comme ça
Je crois lire en votre âme
Qu'on irait ben comme ça
Je crois lire en votre âme (ter)
Qu'on irait ben comme ça

4 Mais que dira votr' père
D'un beau projet comme ça
Je sens que j'l'exaspère
Moi, pauvre gueux comme ça
Ben sûr qu'il dira trêve
A des amours comme ça
Pour sa Phonsine il rêve
Quèqu' gros richard comme ça
Pour sa Phonsine il rêve (ter)
Quèqu' gros richard comme ça. »

5 « Ah ben mon Majorique
Moi je ne pense pas comme ça
L'argent c'est ben magique
Mais ça s'envole comme ça
Faut êtr' sérieuse et sage
Dans une question comme ça
Pour faire un bon ménage
Il faut s'aimer comme ça
Pour faire un bon ménage (ter)
Il faut s'aimer comme ça. »

Comme ça

DANS L'RANG D'SAINT-DO-MI-NIQUE, PAR UN BEAU SOIR, COMM' ÇA, S'EN
AL-LAIT MA-JO-RIQUE, UN VRAI BON GARS, COMM' ÇA, VOIR
LA D'MOI-SELL' PHON-SINE, QU'IL CHÉ-RIS-SAIT COMM' ÇA, QU'IL
LA TROU-VAIT DONC FINE, IL LE DI-SAIT COMM' ÇA, QU'IL
LA TROU-VAIT DONC FINE, QU'IL LA TROU-VAIT DONC FINE, QU'IL
LA TROU-VAIT DONC FINE, IL LE DI-SAIT COMM' ÇA.

REFRAIN

Vaut bien mieux, moins d'argent,
Chanter, danser, rire et boire
Vaut bien mieux, moins d'argent
Rire et boire plus souvent

COUPLETS

1 Commençons la semaine
   Qu'en dis-tu cher voisin?
   Commençons par le vin
   Nous finirons de même *(au refrain)*

2 Si ta femme te querelle
   Dis-lui pour la calmer
   Que tu veux te griser
   Pour la trouver plus belle *(au refrain)*

3 V'là qu'mon propriétaire
   Dit qu'il vendra mon lit
   Je me moque de lui
   Je couche toujours par terre

4 J'donnerai en héritage
   Autant que j'ai reçu
   J'suis v'nu au monde tout nu
   J'laisserai pas davantage

5 J'vous dis qu'ça chôme en ville
   Et l'on épargne partout
   Mais quand on n'a pas l'sou
   Le budget, c'est facile

6 Providence divine
   Qui veille sur nos jours
   Conserve-nous toujours
   La cave et la cuisine

Commençons la semaine

COM - MEN-ÇONS LA SE - MAI - NE, QU'EN DIS- TU CHER VOI-

SIN, COM- MEN-ÇONS PAR LE VIN. NOUS FI - NI - RONS DE

MÊ- ME. VAUT BIEN MIEUX MOINS D'AR- GENT CHAN-TER, DAN-SER, RIR' ET

BOI-RE, VAUT BIEN MIEUX MOINS D'AR- GENT RIR' ET BOI-RE PLUS SOU- VENT.

1 Plantons la vigne
  La voilà la jolie vigne
  Vigni, vigno, vignons le vin
  La voilà la jolie vigne au vin *(bis)*
  La voilà la jolie vigne

2 De terre en pousse
  La voilà la jolie pousse
  Poussi, pousso, poussons le vin
  La voilà la jolie pousse au vin
  La voilà la jolie pousse.

3 De pousse en branche
  La voilà la jolie branche
  Branchi, brancho, branchons le vin
  La voilà la jolie branche au vin
  La voilà la jolie branche

4 De branche en grappe
  La voilà la jolie grappe
  Grappi, grappo, grappons le vin
  La voilà la jolie grappe au vin
  La voilà la jolie grappe

5 De grappe en cuve
  La voilà la jolie cuve
  Cuvi, cuvo, cuvons le vin
  La voilà la jolie cuve au vin
  La voilà la jolie cuve.

6 De cuve en verre
  Le voilà le joli verre
  Verri, verro, verrons le vin
  Le voilà le joli verre au vin
  Le voilà le joli verre

7 De verre en bouche
  La voilà la jolie bouche
  Bouchi, boucho, bouchons le vin
  La voilà la jolie bouche au vin
  La voilà la jolie bouche.

Le cycle du vin

PLAN-TONS LA VI - GNE LA VOI- LÀ LA JO- LIE
VI - GNE VI - GNÉ VI - GNO VI - GNONS LE VIN LA VOI-
-LÀ LA JO- LIE VIGN' AU VIN LA VOI- LÀ LA JO-LIE VI-GNE

1 Dans Paris y a-t-une brune
  Plus belle que le jour
  Sont trois bourgeois de la ville
  Qui lui font l'amour
  Qui lui font l'amour lalirette } (bis)
  Qui lui font l'amour

2 Ils se disaient l'un à l'autre
  Comment l'aurions-nous?
  Le plus jeune se mit à rire
  Moi je sais le tour
  Moi je sais le tour lalirette } (bis)
  Moi je sais le tour

3 Je me f'rai faire une selle
  Avec tous ses atours
  Et j'irai de ville en ville
  Toujours à son nom
  Toujours à son nom lalirette } (bis)
  Toujours à son nom

4 Enseignez-moi donc mesdames
  Le chemin des grands
  Allez, allez donc ma fille
  A ce pauvr' passant
  A ce pauvr' passant lalirette } (bis)
  A ce pauvr' passant

5 Allez jusqu'à la barrière
  Revenez-vous en
  La fille qui était jeunette
  Est allée plus avant
  Est allée plus avant lalirette } (bis)
  Est allée plus avant

6 Le galant qu'est fort adrette
  Lui a donné la main
  Il la prit et il l'emmène
  Sur son cheval blanc
  Sur son cheval blanc lalirette } (bis)
  Sur son cheval blanc

7 Adieu père et adieu mère
  Adieu tous mes parents
  Si vous m'aviez mariée
  A l'âge de quinze ans
  A l'âge de quinze ans lalirette } (bis)
  A l'âge de quinze ans

8 Je n'serais point dans la ville
  Avec tous ces brigands
  Je n'suis point brigand la belle
  Je suis votre amant
  Je suis votre amant lalirette } (bis)
  Je suis votre amant.

Dans Paris y a-t-une brune

DANS PA- RIS Y-A-T-U-NE BRU- NE PLUS BELLE QUE LE

JOUR, SONT TROIS BOUR-GEOIS DE LA VIL- LE QUI LUI FONT L'A-

-MOUR, QUI LUI FONT L'A-MOUR, LA-LI- RET- TE, QUI LUI FONT L'A-

-MOUR. QUI LUI FONT L'A-MOUR LA-LI- RET- TE, QUI LUI FONT L'A-MOUR

REFRAIN

Son berli, tinti, berli
Tiberlait — Compère Robinet

COUPLETS

1 Derrière chez nous, y a-t-un champs d'pois
   Tin ti berli, compère robinet
   J'en cueillis deux, j'en mangis trois
   (*au refrain*)

2 J'en fus malade au lit trois mois
   Tin ti berli compère robinet
   Tous mes parents venaient me voir

3 Rien qu'mon amant qui ne vient pas
   Tin ti berli, compère robinet
   Je l'aperçois venir là-bas

4 Dedans sa main tient un gant blanc
   Tin ti berli, compère robinet
   Deux amourettes qui sont dedans

5 Mais elles y sont bien étroit'ment
   Tin ti berli, compère robinet
   Dans notre coeur plus largement.

Derrière chez nous
y a-t-un champs d'pois

DER- RIER CHEZ NOUS Y'A T'UN CHAMPS D'POIS TIN TI BER-

Li COM PE RE RO - Bi- NET J'EN CUEIL- LIS DEUX J'EN MAN-GE

TROIS SON BER- Li TIN - Ti BER - Li Ti- BER- LAIT COM- PE RE RO-Bi-

NET.

(Je joue du pic!)

REFRAIN
Je joue du pic et je veux draver
Je commence à voyager
Je monte en haut sur l'bois carré.

COUPLETS
1 Derrière chez nous y a-t-un étang
   Je joue du pic et je veux draver
   Trois canards blancs s'en vont baignant

2 Trois canards blancs s'en vont baignant
   Je joue du pic et je veux draver
   Le fils du roi s'en va chassant

3 Visa le noir, tua le blanc

4 Toutes ses plumes s'en vont au vent

5 De par son bec, il perd son sang

6 De par ses yeux, des beaux diamants

7 Trois dam's s'en vont les ramassant

8 C'est pour en fair' un lit de camp.

Derrière chez nous y a-t-un étang

DER- RIÈR, CHEZ NOUS, YAT UN É - TANG, JE JOUÉ DU
PIC ET JE VEUX DRA- VER. TROIS CA- NARDS BLANCS S'EN VONT BAI-
GNANT JE JOUÉ DU PIC ET JE VEUX DRA- VER JE COM-
MENCE À VOY- A- GER, JE MONTE EN HAUT SUR L'BOIS CAR- RÉ.

1 Mon père aussi ma mère
N'avaient que moi d'enfant
N'avaient que moi d'enfant
La destinée, la rose aux bois
N'avaient que moi d'enfant
N'avaient que moi d'enfant.

2 Ils m'envoient à l'école
A l'école du rang
A l'école du rang
La destinée, la rose aux bois
A l'école du rang
A l'école du rang.

3 Quand les filles me voyaient
Elles voulaient m'embrasser
Elles voulaient...

4 C'est pas l'affaire des filles
D'embrasser les garçons
D'embrasser...

5 Mais c'est l'affaire des filles
De « balier » la maison
De « balier »...

6 Quand la maison est nette
Tous les garçons y vont
Tous les garçons...

7 Ils entrent quatre par quatre
En frappant du talon
En frappant...

8 Et c'est comme ça qu'ça s'passe
Dedans notre canton
Dedans notre...

La destinée, la rose aux bois

MON PÈRE AUS-SI MA MÈ-RE N'A-VAIENT QUE MOI D'EN-

-FANT. N'A-VAIENT QUE MOI D'EN-FANT LA DEST-TI-NÉE, LA ROSE AU

BOIS N'A-VAIENT QUE MOI D'EN-FANT. N'A-VAIENT QUE MOI D'EN-FANT.

(La Maumariée)

REFRAIN
Je me roule, je me roule
Gai lon là, je m'en vais rouler
En filant ma quenouille.

COUPLETS

1 Mon père aussi m'a mariée
   Gai lon là, je m'en vais rouler
   Un incivil il m'a donné
   [impoli]

2 Un incivil il m'a donné
   Gai lon la, je m'en vais rouler
   Qui n'a ni maille ni denier
   [monnaie]   [argent]

3 Qui n'a ni maille ni denier
   [monnaie]   [argent]
   Gai lon la, je m'en vais rouler
   Qu'un vieux bâton de vert pommier

4 Qu'un vieux bâton de vert pommier
   Gai lon la, je m'en vais rouler
   Avec quoi m'en bat les côtés

5 Avec quoi m'en bat les côtés
   Gai lon la, je m'en vais rouler
   Si vous m'battez, je m'en irai

6 Si vous m'battez, je m'en irai
   Gai lon la, je m'en vais rouler
   Je m'en irai au bois jouer

7 Je m'en irai au bois jouer
   Gai lon la, je m'en vais rouler
   Au jeu de cartes aussi de dés.

En filant ma quenouille

MON PÈRE AUS-SI M'A- MA- RI- É E. GAI LON LA JE M'EN VAIS ROU-

LER, UN IN- CI- VIL IL M'A DON- NÉ, JE ME ROU-LE, JE ME ROU-

LE. GAI LON LA JE M'EN VAIS ROU- LER. EN FI-LANT MA QUE-NOIL- LE

1 En passant par la Lorraine
   Avec mes sabots
   Rencontrai trois capitaines
   Avec mes sabots dondaine
   Oh! Oh! Oh!
   Avec mes sabots!

2 Ils m'ont appelée vilaine
   Avec mes sabots
   Je ne suis pas si vilaine
   Avec mes sabots dondaine
   Oh! Oh! Oh!
   Avec mes sabots

3 Puisque le fils du roi m'aime
   Avec mes sabots
   Il m'a donné pour étrenne
   Avec mes sabots dondaine...

4 Un bouquet de marjolaines
   Avec mes sabots
   S'il fleurit je serai reine
   Avec mes sabots dondaine...

5 S'il fleurit je serai reine
   Avec mes sabots
   S'il y meurt je perds ma peine
   Avec mes sabots dondaine
   Oh! Oh! Oh!
   Avec mes sabots.

En passant par la Lorraine

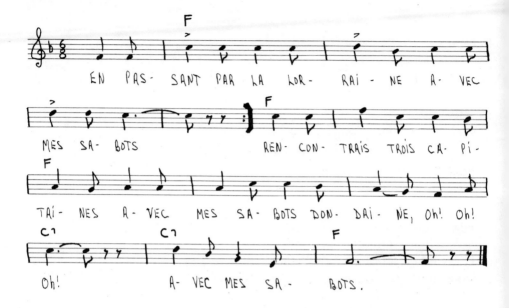

EN PAS- SANT PAR LA LOR- RAI - NE A- VEC

MES SA- BOTS REN- CON- TRAIS TROIS CA- PI-

TAI - NES A- VEC MES SA- BOTS DON- DAI- NE, Oh! Oh!

Oh! A- VEC MES SA- BOTS.

REFRAIN

Envoyons d'l'avant nos gens
Envoyons d'l'avant.

COUPLETS

1 Ah! quand on part pour les chantiers
   Mes chers amis, tous le coeur gai
   Pour aller voir tous nos parents
   Mes chers amis, le coeur content

2 « Mé » qu'on arrive en Canada
   Il va falloir y mouiller ça
   Et quand ça sera tout mouillé
   Vous allez voir qu'ça va marcher

3 Quand ils vont nous voir arriver
   Vont s'mettre à rire et à chanter
   Dimanche au soir à la veillée
   Nous irons voir nos compagnées

4 Elles vont nous dire mais en entrant
   « V'la mon amant, j'ai l'coeur content »
   Mais au milieu de la veillée
   Vont nous parler d'leur cavalier

5 Mais nous leur dirons en partant
   « As-tu fréquenté d'autres amants
   Qui ont composé la chanson
   Ce sont trois jolis garçons »

Envoyons d'l'avant

Ah. Quand on part pour les chan- tiers, mès chèrs a- mis tous le coeur gai. Pour al- ler voir tous nos pa- rents, mès chèrs a- mis le coeur con- tent. Envoy- ons d'l'a- vant no gens en- voy- ons d'l'a- vant

Paroles et musique de Pierre Daignault

REFRAIN

Et pis épluch', épluch'
Le bon blé d'Inde de chez nous
Et pass' et pass' la cruch'
A l'épluchett' on prend un coup

COUPLETS

1 Le blé d'Inde est arrivé
   C'est la ronde dans le pays
   Tout le monde s'met à chanter
   Chacun a son p'tit épis
   Y a l'épinette, et l'épic'rie
   Des épitaphes, l'épilepsie
   Des épinards, l'épidémie
   Les épilogues, l'Épiphanie
   Et pis, et pis..
   (*choeur*) Et pis, et pis? (*au refrain*)

2 Des épluchett's y en a partout
   On boit, on chante, on danse, on rit
   On s'amuse comme des fous
   A manger le plus d'épis

   (*on reprend la ritournelle*)

   Y a l'épinette et l'épic'rie etc..

3 Et au cours de la soirée
   Le roi et la reine sont choisis
   Mais avant d'les couronner
   Faut qu'ils trouv'nt le bon épis
   (*on reprend la ritournelle*)

4 Tout le monde est au coton
   C'est le temps d'aller au lit
   Avant d'partir pour la maison
   N'oubliez pas votr' p'tit épis
   (*on reprend la ritournelle*)

L'épluchette

LE BLÉ d'INDE EST AR-RI-VÉ C'EST LA
RONDE DANS LE PA-YS TOUS LE MONDE S'MET À CHAN-
TER CHA-CUN A SON P'TIT É-PIS Y'A L'É-PI-NETTE ET
L'É-PIC'-RIE DES É-PI-TAPHES L'É-PI-LEP-SIE DES
É-PI-NARDS L'É-PI-DÉ-MIE LES É-PI-LOGUES L'É-
PI-PHA-NIE ET PIS, ET PIS, ET PIS, ET PIS,
ET PIS É-PLUCHE, É-PLUCHE LE BON BLÉ D'INDE DE CHEZ
NOUS ET PASS' ET PASS' LA CRUCH' A L'É-PLU-CHETTE ON PREND UN COUP

REFRAIN

Et moi je m'enfoui-foui
Et moi je m'enfouiyais

COUPLETS

1 En passant près d'un moulin
   Que le moulin marchait (*bis*)
   Et dans son joli chant disait
   Ketiketiketac-ketiketiketac
   Moi je croyais qu'il disait
   Attrappe, attrappe, attrappe
   Attrape, attrappe, attrappe (*au refrain*)

2 En passant près d'un' prairie
   Que les faucheurs fauchaient (*bis*)
   Et dans leur joli chant disaient
   Ah! l'beau faucheur, ah! l'beau faucheur
   Moi, je croyais qu'ils disaient
   Ah! v'la l'voleur, ah! v'la l'voleur (*au refrain*)

3 En passant près d'une église
   Que les chantres chantaient (*bis*)
   Et dans leur joli chant disaient
   Alleluia! Alleluia!
   Moi, je croyais qu'ils disaient
   Ah! le voilà!, Ah! le voilà! (*au refrain*)

4 Passant près d'un poulaillier
   Que les poules chantaient (*bis*)
   Et dans leur joli chant disaient
   Coucouricou! coucouricou!
   Moi, je croyais qu'ils disaient
   Coupons-y l'cou, coupons-y l'cou (*au refrain*)

Et moi je m'enfouiyais

EN PAS- SANT PRÈS D'UN MOU- LIN, QUE LE MOU-

LIN - MAR CHAIT, QUE LE MOU - LIN MAR - CHAIT, ET DANS SON

JO- LI CHANT DI - SAIT KE- TI- KE -TI- KE- TAC, KE- TI- KE-TI-KE-

TAC, MOI JE CROY- AIS QU'IL DI- SAIT, AT- TRAPPE, AT- TRAPPE, AT-

TRAPPE, AT-TRAPPE, AT- TRAPPE, AT - TRAPPE! ET MOI JE M'EN FOUI-

FOUI- ET MOI JE M'EN FOUI - YAIS

(Cette version a été recueillie par la Société Historique du Nouvel Ontario. Elle se chantait il y a plus de 50 ans dans la région de Chertsey. Elle est quelque peu différente de la version enregistrée par la famille Soucy)

REFRAIN

Tout l'mond' chantait, puis moi j'criais:
Ho! pi pan pan! puis du fun y en avait!
Y en avait pour tout l'monde

COUPLETS

1 Nous avons fait un p'tit festin, un festin de campagne
   Nous invitions tous nos parents, nos voisins et leur femme
   (*au refrain*)

2 Quand c'est venu sur les minuit, on décora les tables
   Avec des fleurs de pissenlits et des cotons d'rhubarbe
   (*au refrain*)

3 Y avait le joueur de violon qu'était plein comme un oeuf (fe)
   Et qui cherchait son arcanson à quat' patt's sous le poêle
   (*au refrain*)

4 Le composeur de cett' chanson, il n'est pas loin d'vous autres
   Si vous lui passez le flacon, il en chant'ra une autre
   (*au refrain*)

Le festin de campagne

NOUS A- VONS FAIT UN P'TIT FES- TIN, UN FES- TIN DE CAM-
PA- GNE. NOUS IN- VI- TIONS TOUS NOS PAR- ENT, NOS VOI- SINS ET LEUR
FEM- ME. TOUT L'MOND' CHAN- TAIT, PUIS MOI J' CRI- AIS: "HO!
PI PAN POM! PUIS DU "FUN" Y EN A-
- VAIT; Y'EN A- VAIT POUR TOUT L' MON- DE.

Ah la feuille s'envole, s'envole
Ah la feuille s'envole au vent

COUPLETS

1 Sont les fill's de la Rochelle
   Ont armé un bâtiment (*bis*)
   Pour aller faire la course
   Dedans les mers du Levant

2 La grand' vergue est en ivoire
   Les poulies en diamant (*bis*)
   La grand' voile est en dentelle
   La misaine en satin blanc

3 L'équipage du navire
   C'est tout filles de quinze ans (*bis*)
   Le capitain' qui les commande
   Est le roi des bons enfants

4 Hier faisant sa promenade
   Dessus le gaillard d'avant (*bis*)
   Aperçut une fillette
   Qui pleurait dans les haubans

5 Qu'avez-vous gentille fillette
   Qu'avez-vous à pleurer tant? (*bis*)
   Av' vous perdu père et mère
   Ou quelqu'un de vos parents?

6 J'ai cueilli la rose blanche
   Qui s'en fut la voile au vent (*bis*)
   Elle est partie vent arrière
   Reviendra-z-en lou-voyant

Les filles de La Rochelle

SONT LES FILL'S DE LA RO - CHEL- LE, ONT AR - MÉ UN BÂ-Ti-

MENT. POUR AL- LER FAI- RE LA COUR- SE, DE- DANS LES MERS. DU- LE-

VANT. AH! LA FEUIL- LE S'EN- VO- LE, S'EN- VO - LE, AH! LA

FEUIL- LE S'EN - VOL AU VENT.

REFRAIN

Zig et zag, le roi des emmaillés gai
Au p'tit clin du jour
Son p'tit porte-clef tout rouillé hé hé!
Firlibi Racotillé gai, gai!

COUPLETS

1 J'm'en vas à la fontaine
  Pour pêcher du poisson ziguedon
  La fontain' était creuse
  Je m'y suis coulée au fond, ziguedon
  (*au refrain*)

2 La fontaine est si forte
  Qu'ell' fait marcher trois moulins ziguedon
  Y en un qui moud l'grain
  L'autre qui moud la cannelle ziguedon
  (*au refrain*)

3 Et l'autre moud la cannelle
  C'est pour les demoisell's, ziguedon
  On leur en donne le soir
  Le matin elles sont bien, ziguedon
  (*au refrain*)

4 Elles partent pour voyage
  S'en vont à Montréal, ziguedon
  Et quand elles reviennent
  Elles sont toutes éreintées ziguedon
  (*au refrain*)

Firlibi Racotillé

J'M'EN VAS À LA FON-TAINE POUR PÊ-CHER DU POIS-
SON ZI-GUE DON LA FON-TAINE ET CRE- USE- E
JE M'Y SUIS COU-LÉE AU FOND, ZI-GUE - DON ZIG ET
ZAG LE ROI DES EMMAILLES GAI GAI AU P'TIT CLIN
DU JOUR SON P'TIT PORTE CHEF TOUT ROUILLÉ HÉ HÉ! FIR-LI
BI RA - CO- TIL- LÉ GAI, GAI!

REFRAIN

Les deux pieds dans le ruisseau
Flic! flac! floc!
Flic! flac! floc!
Les deux pieds dans le ruisseau
Flic! flac! floc! dans l'eau.

COUPLETS

1   Le joli ruisseau de par chez nous
    Traverse le bois sur des cailloux
    Par petits bonds
    Trottinant par petits bonds
    Va se perdre au loin.

2   Un quêteux assis les pieds dans l'eau
    En rêvant fumait son vieux brulôt
    Sans se douter
    Pauvre lui, sans se douter
    Du danger prochain

3   Un rusé crapet vint ce jour-là,
    En quête, bien sûr, de son repas
    De ce côté
    Par hasard, de ce côté,
    Pour tuer sa faim

4   En voyant le pied qui s'agitait
    « Ah vraiment, dit-il, un mets tout prêt »
    Puis, doucement
    S'approchant bien doucement
    Mordit au festin

5   Le quêteux pour sûr, fut pas content
    Il partit boîteux, en maugréant
    « Bateau d'un nom!
    J'serions bien loin, bateau d'un nom
    Si c'fût un requin! »

Flic! flac! floc! dans l'eau

LES DEUX PIEDS DANS LE RUIS- SEAU, FLIC! FLAC! FLOC! FLIC! FLAC!

FLOC! LES DEUX PIEDS DANS LE RUIS - SEAU, FLIC! FLAC! FLOC! DANS L'EAU,

FLIC! FLAC! FLOC! DANS L'EAU. LE JO- LI RUIS -SEAU DE PAR CHEZ

NOUS TRA -VER- SE LE BOIS SUR DES CAIL- LOUX PAR

PE - TITS BONDS TROT-TI- NANT PAR PE TITS BONDS VA SE

PERDRE AU LOIN.

REFRAIN

J'aime lonla,
Malonla, malurette
J'aime lonla
Malonla, maluré

COUPLETS

1 C'est dans Paris, y a-t-une brun'
   Elle était belle, ell' le savait (*bis*)
   Pas besoin qu'on lui dis', voyez-vous!
   (*au refrain*)

2 Elle était belle, ell' le savait
   Lorsque son amant vint la voir (*bis*)
   Un baiser lui demand', voyez-vous!

3 Prenez-en un, prenez-en deux
   Galant passez-en votr' envie (*bis*)
   Si papa le savait, voyez-vous

4 Car si mon papa le savait
   Du gros bâton j'en goûterais (*bis*)
   Ma mère elle le sait bien, voyez-vous!

5 Quant à ma mère, elle le sait bien
   Elle ne fait, jamais, qu'en ri' (*bis*)
   Son amant lui demand' voyez-vous!

6 Mais quand son amant lui demand'
   Un doux baiser, c'est pour en rir' (*bis*)
   D'un signe de la têt', voyez-vous!

7 D'un sign' de tête, elle refus'
   Mais de la main, ell' le retient (*bis*)
   Car son coeur lui dit oui, voyez-vous!

J'aime lonla, malonla, malurette

C'EST DANS PA — RIS Y'AT U — NE BRUN' ELLE É-TAIT BELLE, EL-LE SA — VAIT PAS BE-SOIN QU'ON LUI DIS', VO-YEZ VOUS! J'AI-ME LON- LA, MA-LON-LA MA-LU-RET-TE, J'AI-ME LON- -LA, MA-LON-LA MA-LU- RÉ, ELLE É-TAIT BELLE EL-LE SA-

REFRAIN

Je sais bien quelque chose
Que je ne veux pas dire
Ah! Que je ne dirai pas!

COUPLETS

1 C'est en m'y promenant, le long des prairies (*bis*)
   Dans mon chemin rencontr', Marguerite m'amie

2 Dans mon chemin...
   Qu'avez-vous à soupirer, Marguerite m'amie?

3 Qu'avez-vous...
   Ne sais-tu pas galant, que mon pèr' m'y marie

4 Ne sais-tu pas...
   A un vieillard bonhomm', qui a la barbe grise?

5 A un vieillard...
   Je voudrais que ces vieux soient dedans un navir'

6 Je voudrais que...
   A cinq cents lieues au larg', sans pain et sans farine

7 A cinq cents lieues...
   Pour leur montrer par là, pucelles à poursuivre

8 Pour leur montrer...
   Les vieux sont pour les vieill's, les garçons pour les filles.

Je sais bien quelque chose

C'EST EN M'Y PRO-ME-NANT, LE LONG DE CES PRAI-RI-ES, DANS MON CHE-MIN REN-CONTRE MAR-GUE-RI-TE M'A-MI-É. JE SAIS BIEN QUEL QUE CHO-SE QUE JE NE VEUX PAS DI-RE, Ah! QUE JE NE DI-RAI PAS

REFRAIN

Sont, sont, sont, les gars de Locminée
Qui ont de la maillette, sens dessus dessous
Sont, sont, sont, les gars de Locminée
Qui ont de la maillette dessous leurs souliers

COUPLETS

1   Mon père et ma mère d'Locminée y sont (*bis*)
    Ont fait la promesse qu'ils me marieront

    (*au refrain*)

2   Ont fait la promesse...
    S'ils ne me marient, s'en repentiront

3   S'ils ne me marient...
    Je vendrai mes terres, sillon par sillon

4   Je vendrai mes terres...
    Et sur la dernière, bâtirai maison

5   Et sur la dernière...
    Et si le Roi passe, nous l'inviterons

Les gars de Locminée

MON PÈRE ET MA MÈ - RE D'LOC- MI - NÉ Y (ILS) SONT.

ILS ONT FAIT PRO - MES- SE QU'ILS ME MA - RIE - RONT.

SONT, SONT, SONT LES GARS DE LOC- MI - NÉ QUI ONT DE LA MAIL-

LET - TE SENS DES- SUS DES - SOUS, SONT, SONT, SONT LES GARS DE LOC-MI

- NÉ QUI ONT DE LA MAIL- LET - TE DES- SOUS LEURS SOU- LIERS.

REFRAIN

Gai lon la, gai le rosier
Du joli mois de mai

COUPLETS

1 Par derrière chez ma tante
   Lui y a-t-un bois joli
   Le rossignol y chante
   Et le jour et la nuit

2 Il chante pour les belles
   Qui n'ont point de mari
   Il ne chante pas pour moi
   Car j'en ai un joli

3 Il n'est pas dans la danse
   Car il est loin d'ici
   Il est dans la Hollande
   Les Hollandais l'ont pris

4 Que donneriez-vous belle
   Qui l'amèn'rait ici?
   Je donnerais Versailles
   Paris et Saint-Denis

5 Le royaume de mon père
   Et de ma mère aussi
   Et la claire fontaine
   De mon jardin joli

Gai lon la, gai le rosier

PAR DER-RIÈR CHEZ MA TAN-TE LUI Y'A-T-UN BOIS JO-LI, LE ROS-SI-GNOL Y CHAN-TE ET LE JOUR ET LA NUIT GAI LO LA, GAI LE RO--SIER DU JO-LI MOIS DE MAI

Et l'habitant, l'habitant
Embarqua dans sa voiture
En criant: « Viens-t'en
Viens-t'en donc, ma créature! »

COUPLETS

1 Un habitant d'St-Élise
   Dit à sa femme un jour:
   « On va faire att'ler la grise
   On va'ller faire un tour. » *(au refrain)*

2 Rendu près d'Saint-Euphémie
   V'là la grise sus l'dos
   Le bonhomme tout d'suit' s'écrie:
   « Elle a un coup d'eau. »

3 Mais la bonn' femme' qui s'éveille
   Lui dit: « Ben j't'en foute
   C'est plutôt un coup d'soleil
   Y mouille pas pantoute. »

4 La vieille dit à son bonhomm':
   « Toi qui t'cré si fin
   Sais-tu qu'si y avait pas d'pommes
   Y aurait pas d'pépins. »

5 Le vieux répondit « Ben dame
   C'est pas les pépins
   Qu'ont mis Adam et sa femme
   En d'hors du jardin. »

6 La bonn' femm' dit à son vieux
   « Cou donc j'ai envie
   De me fair' couper les ch'veux
   Gaspard qu'est-ce qu't'en dis? »

7 Le bonhomme lui répondit
   « Oui, c'est entendu
   Qu'y t'coup' donc la langue aussi
   Pis t'en parl'ras pus! »

L'habitant dans sa voiture

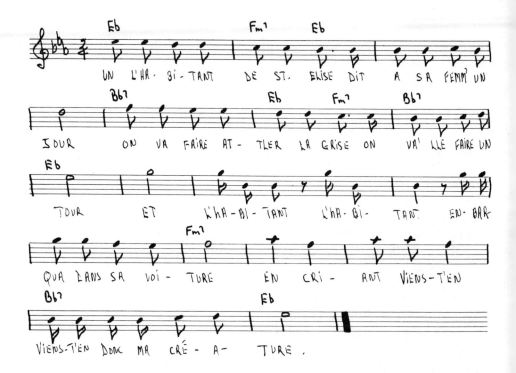

UN L'HA-BI-TANT DE ST. ELISE DIT A SA FEMM' UN JOUR ON VA FAIRE AT-TLER LA GRISE ON VA' LLE FAIRE UN TOUR ET L'HA-BI-TANT L'HA-BI- TANT EN-BAR QUA DANS SA VOI - TURE EN CRI - ANT VIENS-T'EN VIENS-T'EN DONC MA CRÉ - A - TURE.

REFRAIN
Allons-y, brunette
Allons-y gaiement

COUPLETS

1 Les habitants de Boucherville
  S'sont fait faire un bâtiment
  S'sont fait faire un bâtiment
  Pour aller jouer dedans

2 S'sont fait faire...
  Pour aller...
  La carcasse du bâtiment
  C'est une boîte de fer-blanc

3 La carcasse...
  C'est une boîte...
  Les trois mâts du bâtiment
  Sont trois cotons d'herbe St-Jean

4 Les trois mâts...
  Sont trois cotons...
  Les trois voiles du bâtiment
  Sont trois vest(es) de bouragan

5 Les trois voiles...
  Sont trois vest(es)...
  Les mat'lots du bâtiment
  Sont des agneaux du printemps

6 Les mat'lots...
  Sont des agneaux...
  L'capitaine du bâtiment
  C'est un boeuf qu'y a l'front tout blanc

7 L'capitaine...
  C'est un boeuf...
  L'gouvernail du bâtiment
  C'est la queue d'un vieux ch'val blanc

8 L'gouvernail...
  C'est la queue...
  Et tous ceux qui vont dedans
  Ce sont tous des innocents

Les habitants de Boucherville

LES HA- BI- TANTS DE BOU- CHER- VILLE, S'SONT FAIT FAIRE UN BÂ- TI-
-MENT S'SONT FAIT FAIRE UN BÂ- TI - MENT POUR AL- LER JOU- ER DE-
- DANS. AL- LONS- Y BRU- NET- TE AL- LONS- Y GAIE- MENT

REFRAIN

Dansons ma bergère joliment
Que le plancher en rompe *(bis)*

COUPLETS

1 J'ai tant dansé, j'ai tant sauté
Dansons ma bergère oh! gai.
J'en ai décousu mon soulier
A l'ombre

2 J'ai 'té trouver le cordonnier
Dansons ma bergère oh! gai.
Beau cordonnier, beau cordonnier
A l'ombre

3 Veux-tu racc'moder mon soulier
Dansons ma bergère oh! gai.
Je te donnerai des sous marqués
A l'ombre

4 Des sous marqués, j'en ai assez
Dansons ma bergère oh! gai
Faut aller trouver le curé
A l'ombre

5 Pour dans un mois nous marier
Dansons ma bergère oh! gai.
Beau cordonnier, beau cordonnier
A l'ombre

6 Nenni un mois n'est pas assez
Dansons ma bergère oh! gai.
Faut attendre encore une année
A l'ombre

J'ai tant dansé

J'AI TANT DAN-SÉ, J'AI TANT SAU-TÉ, DAN-SONS, MA BER-GÈRE, Ô

GAI. J'EN AI DÉ - COU-SU MON SOU-LIER, À L'ON-

BRE. DAN-SONS MA BER-GER', JO LI MENT, QUE LE PLAN-CHER EN ROM-

-PE! DAN-SONS, MA BER-GER', JO-LI - MENT, QUE LE PLAN-CHER EN ROM-

PE!

REFRAIN

Je le mène bien, je le mène au doigt
Je le mène bien, mon dévidoi

COUPLETS

1 Mon père n'avait fille que moi
   Je le mène bien mon dévidoi
   Encore sur la mer il m'envoi' (*au refrain*)

2 Encore sur la mer...
   Le marinier qui m'y menait

3 Le marinier...
   Il devint amoureux de moi.

4 Il devint amoureux...
   Ma mignonnette embrassez-moi

5 Ma mignonnette...
   Nenni monsieur, je n'oserais

6 Nenni monsieur...
   Car si mon papa le savait

7 Car si mon...
   Fille battue, ce serait moi

8 Fille battue...
   Mais qui, la belle, lui dirait?

9 Mais qui la belle...
   Ce serait les oiseaux des bois

10 Ce serait les...
   Les oiseaux des bois parlent-ils?

11 Les oiseaux...
   Ils parl'nt français, latin aussi

12 Ils parl'nt...
   Hélas que le mond' est malin

13 Hélas que le...
   D'apprendr' aux oiseaux le latin.

Je le mène bien mon dévidoi

MON PÈR' N'A- VAIT FIL- LE QUE MOI, JE LE MÈ- NE BIEN MON DÉ- VI DOI'! EN- COR SUR LA MER IL M'EN- VOI, JE LE MÈ- NE BIEN, JE LE MÈNE AU DOIGT. JE LE MÈ- NE BIEN, JE LE MÈNE AU DOIGT, JE LE MÈ- NE BIEN MON DÉ- VI- DOI'!

REFRAIN

Le beau temps s'en va
Le mauvais revient
Je n'ai pas de barbe au menton
Mais il m'en vient

COUPLETS

1 Mon père a fait bâtir maison
   Je n'ai pas de barbe au menton
   L'a fait bâtir sus l'bout d'un pont

2 Mon père, faites-moi-z-un don
   Je n'ai pas de barbe au menton
   Donnez-moi donc votre maison

3 Ma fille, promettez-moi donc
   Je n'ai pas de barbe au menton
   De n'jamais aimer les garçons

4 J'estimerais mieux la maison
   Je n'ai pas de barbe au menton
   Serait en cendre et en charbon

5 Et vous, mon pèr', sur le pignon
   Je n'ai pas de barbe au menton
   Vous vous chaufferiez les talons.

Je n'ai pas de barbe au menton

MON PÈRE A FAIT BÂ-TIR MAI-SON, JE N'AI PAS DE BARBE AU MEN- TON, L'A FAIT BÂ- TIR SU' L'BOUT D'UN POUT, LE BEAU TEMPS S'EN - VA, LE MAU-VAIS RE- VIENT, JE N'AI PAS DE BARBE AU MEN- TON MAIS IL M'EN - VIENT

1 Trois jeun's tambour, s'en revenant de guerre (*bis*)
Ran, ran, ran, rata plan
S'en revenant de guerre

2 Le plus jeune a, dans sa bouche une rose (*bis*)
Ran, ran,...
Dans sa bouche une rose.

3 La fill' du roi était à sa fenêtre (*bis*)

4 Joli tambour, donne-moi, va, ta rose (*bis*)

5 Fille du roi, donne-moi, va, ton coeur (*bis*)

6 Joli tambour, demand' le à mon père (*bis*)

7 Sire le roi, donnez-moi votre fille (*bis*)

8 Joli tambour, tu n'es pas assez riche (*bis*)

9 J'ai trois vaisseaux dessus la mer jolie (*bis*)

10 L'un chargé d'or et l'autre de pierreries (*bis*)

11 Joli tambour, je te donne ma fille (*bis*)

12 Sire le roi, je vous en remercie (*bis*)

13 Dans mon pays, y en a de plus jolies (*bis*)

Joli tambour

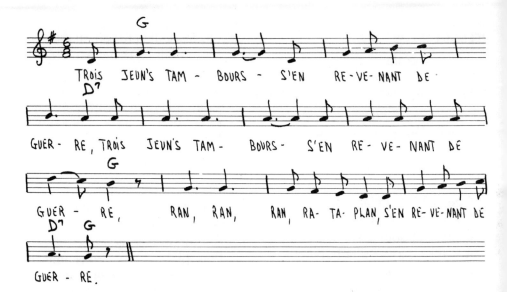

TROIS JEUN'S TAM - BOURS - S'EN RE - VE - NANT DE

GUER - RE, TROIS JEUN'S TAM - BOURS - S'EN RE - VE - NANT DE

GUER - RE, RAN, RAN, RAN, RA - TA - PLAN, S'EN RE - VE - NANT DE

GUER - RE.

REFRAIN

Troulala, troulala
Troula, troula, troula laire
Troulala, troulala
Troula, troula, troula la.

COUPLETS

1 Dans le village est venu (*bis*)
Un joueur de luth fort connu (*bis*)
Joue aussi d'la clarinette
Du piston et d'la musette
Il apprend pour un écu
Aux fill's à jouer d'la bobinette
Il apprend pour un écu
Aux filles à jouer du... (*au refrain*)

2 Une vieille entend ce bruit (*bis*)
Comme elle avait de l'esprit (*bis*)
Elle s'avance tout' coquette
Pour prendre part à la fête
Monsieur voilà mon écu
J'veux apprendre à jouer d'la bobinette
Monsieur voilà mon écu
J'veux apprendre à jouer du...

3 Allons vieille, allez-vous-en (*bis*)
Et reprenez votr' argent (*bis*)
Car ce n'est plus à votre âge
Qu'on entre en apprentissage
Vous avez trop attendu
Pour apprendr' à jouer d'la bobinette
Vous avez trop attendu
Pour apprendre à jouer du... (*au refrain*)

4 Or, la vieille en s'en allant (*bis*)
Murmurait en maugréant (*bis*)
Je ne suis pas jouvencelle
Il me croit toujours pucelle
Voilà quarante ans et plus
Que je sais jouer d'la bobinette
Voilà quarante ans et plus
Que je sais jouer du... (*au refrain*)

5 Les filles de mon pays (*bis*)
Ont vendu leur collerette
Afin d'avoir un écu
Afin d'avoir un écu
Pour plaire à leurs bons amis (*bis*)
Leur jupon leur chemisette
Pour apprendr' à jouer d'la bobinette
Pour apprendr' à jouer du... (*au refrain*)

Le joueur de luth

DANS LE VIL- LA- GE EST VENU DANS LE
VIL- LA- GE EST VENU UN JOU- EUR DE LUTH FORT CONNU UN JOU-
EUR DE LUTH FORT CONNU JOUE AUS - SI D'LA CLA - RI - NETTE DU PIS-TON
ET D'LA MUS- ETTE IL AP- PEND POUR UN É - CU
AUX FILL'S A JOU- ER D'LA BO - BI - NET- TE IL AP- PREND
POUR UN É - CU AUX FILL'S A JOU- ER DU TROU-LA LA,
TROU-LA LA, TROU-LA, TROU LA, TROU- LA LA'I- RE TROU-LA LA,
TROU-LA LA TROU- LA, TROU-LA, TROU-LA LA

RIT

REFRAIN

De pain de chopine
Demiard à ratine
Ma fille racotille
Et racotille-toi
Ma fille a veut se racotte, ticotte
Ma fille a veut se racotiller

COUPLETS

1 Ma fille elle n'a pas d'cavalier
   Ma fille elle veut se racotiller
   Mais y en a un dans le grenier (*au refrain*)

2 Mais y en a un dans le grenier
   Ma fille...
   Il est tout noir, tout barbouillé

3 Il est tout...
   N'importe c'est un bon cordonnier

4 N'importe c'est...
   Il te fera de beaux souliers

5 Il te fera de...
   Ça s'ra pour aller danser

6 Ça s'ra pour...
   Avec ton ancien cavalier

Ma fille veut se racotiller

MA FILLE ELLE N'A PAS D'CA-VA-LIER MA FILLE ELLE
VEUT SE RA-CO-TIL-LER MA Y'EN A UN DANS LE GRE-
NIER DE PAIN DE CHO-PI-NE-DE MI ARD A
RAT-TINE MA FILLE RA-CO-TIL-LE ET RA-CO-TILLE
TOI A FILLE À VEUT SE RA-COT-TÉ TI-COT-TÉ MA FILLE À
VEUT SE RA-CO-TIL-LER

1 Malbrough s'en va-t-en guerre
Laïtou, la la la (bis)
Malbrough s'en va-t-en guerre
Ne sait qu'en reviendra (ter)

2 Il reviendra-z-à Pâques
Laïtou, la la la (bis)
Il reviendra-z-à Pâques
Où à la Trinité

*(Les autres couplets se chantent de la même façon.
Nous ne mettons alors que les phrases qui changent)*

3 La Trinité se passe—Malbrough ne revient pas

4 Madame à sa tour monte — Si haut qu'ell' peut monter

5 Elle voit venir son page — Tout de noir habillé

6 Beau page, oh! mon beau page — Quell' nouvelle apportez?

7 Aux nouvell's que j'apporte — Vos beaux yeux vont pleurer

8 Quittez vos habits roses — Et vos satins dorés

9 Prenez la robe noire — Et les souliers cirés

10 Monsieur Malbrough est mort — Est mort et enterré

11 J'l'ai vu porter en terre — Par quatre-z-officiers

12 L'un portait sa cuirasse — L'autre son bouclier

13 L'un portait son grand sabre — Et l'autre rien du tout

14 A l'entour de sa tombe — Romarins l'on planta

15 Sur la plus haute branche — Le rossignol chanta

16 On vit voler son âme — A travers des lauriers

Chacun mit ventre à terre — Et puis se releva

ur chanter les victoir's — Que Malbrough remporta

érémonie faite — Chacun s'en fut coucher

dis pas davantage — Car en voilà-z-assez.

Malbrough s'en va-t-en guerre

MAL - BROUGH S'EN VA -TEN GUER- RE, LAÏ - TOU LA, LA, LA, LAÏ-

TOU LA LA LA. MAL - BROUGH S'EN VA -TEN GUER- RE, NE

SAIT QUAND RE- VIEN- DRA NE

SAIT QUAND RE- VIEN - DRA NE

SAIT QUAND RE - VIEN- DRA.

1 Quand tout renaît à l'espérance
  Et que l'hiver, fuit loin de nous
  Sous le beau ciel de notre France
  Quand le soleil revient plus doux
  Quand la nature est reverdie
  Quand l'hirondelle est de retour
  J'aime à revoir ma Normandie
  C'est le pays qui m'a donné le jour.

2 J'ai vu les champs de l'Helvétie
  Et les chalets et ses glaciers
  J'ai vu le ciel de l'Italie
  Et Venise et, ses gondoliers
  En saluant, chaque patrie
  Je me disais, aucun séjour
  N'est plus beau que ma Normandie
  C'est le pays qui m'a donné le jour.

3 Il est un âge dans la vie
  Où chaque rêve doit finir
  Un âge où l'âme recueillie
  A besoin de se souvenir
  Lorsque ma muse, refroidie
  Aura fini, ses chants d'amour
  J'irai revoir ma Normandie
  C'est le pays qui m'a donné le jour.

ON No 51

Ma Normandie

QUAND TOUT RE-NAIT À L'ES-PÉ-RAN-CE ET QUE L'HI-VER FUIT LOIN DE NOUS SOUS LE BEAU CIEL DE NO-TRE FRAN-CE QUAND LE SO-LEIL RE-VIENT PLUS DOUX QUAND LA NA-TURE EST RE-VER-DI-E QUAND L'HI-RON-DELLE EST DE RE-TOUR, J'AIME À RE-VOIR MA NOR-MAN-DI-E C'EST LE PA--YS QUI M'A DON-NÉ LE JOUR.

(POUR LE 2E COUPLET
" " 3E " " ET VE-NISE ET SES GON-DO-LIERS,.....

1 Mariann' s'en va-t-au moulin (*bis*)
C'est pour y faire moudre son grain (*bis*)
A cheval sur son âne
Ma p'tite mamzell' Marianne
A cheval sur son âne Catin
S'en allant au moulin

2 Le meunier qui la voit venir (*bis*)
S'empresse aussitôt de lui dire (*bis*)
Attachez donc votre âne
Ma p'tit' mamzell' Marianne
Attachez donc votre âne Catin
Par derrièr' le moulin.

3 Pendant que le moulin marchait (*bis*)
Le loup tout à l'entour rôdait (*bis*)
Le loup a mangé l'âne
Ma p'tit' mamzell' Marianne
Le loup a mangé l'âne Catin
Par derrièr' le moulin

4 Mariann' se mit à pleurer (*bis*)
Cent écus d'or lui a donnés (*bis*)
Pour acheter un âne, Ma p'tite...
Pour acheter... En r'venant du moulin.

5 Son père qui la voit venir (*bis*)
Ne put s'empêcher de lui dir' (*bis*)
Qu'avez-vous fait d'votr' âne, Ma p'tite...
En allant au moulin.

6 C'est aujourd'hui la Saint-Michel (*bis*)
Que tous les ânes chang'nt de poil (*bis*)
Je vous ramène votr' âne, Ma p'tite...
Je vous ramène le même âne Catin
Qui m'porta au moulin.

Marianne s'en va-t-au moulin

MA - RI - ANN' S'EN VA - T-AU MOU - LIN, MA-

-RI - ANN' S'EN VA - T - AU MOU- LIN, C'EST POUR Y FAIR' MOU-

-DRE SON GRAIN; C'EST POUR Y FAIR' MOU- DRE SON GRAIN;

A CHE- VAL SUR SON Â - NE, MA

P'TIT' MAM-ZELL' MA- RIAN - NE, A CHE- VAL SUR SON Â- NE CA-TIN,

S'EN AL- LANT AU MOU- LIN.

1 Par un matin je me suis levé (*bis*)
   Plus matin que ma tante Eh là!
   Plus matin que ma tante.

2 Dans mon jardin j'm'en suis allée (*bis*)
   Cueillir la rose blanche Eh là!
   Cueillir la rose blanche

3 Je n'en eus pas, sitôt cueilli trois (*bis*)
   Que mon amant y entre Eh là!
   Que mon amant y entre.

4 M'ami, faites-moi un bouquet (*bis*)
   Qu'il soit de roses blanches Eh là!
   Qu'il soit de roses blanches

5 La belle en faisant ce bouquet (*bis*)
   Elle s'est cassé la jambe Eh là!
   Elle s'est cassé la jambe

6 Faut aller cri bon médecin (*bis*)
   Le médecin de Nantes Eh là!
   Le médecin de Nantes.

7 Bon médecin, joli médecin (*bis*)
   Que dis-tu de ma jambe Eh là!
   Que dis-tu de ma jambe?

8 Ta jambe ma bell', ne guérira pas (*bis*)
   Qu'ell' n'soit dans l'eau baignante Eh là!
   Qu'ell' soit dans l'eau baignante

9 Dans un bassin, tout d'or et d'argent (*bis*)
   Couvert de roses blanches Eh là!
   Couvert de roses blanches.

Le médecin de Nantes

PAR UN MA - TIN, JE ME SUIS LE - VÉ, PAR UN MA
TIN, JE ME SUIS LE - VÉ, PLUS MA - TIN QUE MA
TANTE, EH LÀ! PLUS MA - TIN QUE MA - TAN - TE.

REFRAIN

Patapat' y a matou, matan d'lou Bim Boum
Patapat' y a matou, matan d'lou Laridé

COUPLETS

1 M'en allant à la chasse, à la chasse à la perdrix (*bis*)
   Dans mon chemin rencontr' une fill' bien esseulée, laridé
   (*au refrain*)

2 Je lui ai demandé s'elle était à marier (*bis*)
   Mais ell' me fit répons', pas avec un hôtelier, laridé

3 Car avec sa bouteill' il pourrait me saouler (*bis*)
   N'avait 'té qu'mon métier, je m'serais marié, laridé

4 Avec une jolie fille, aujourd'hui qu'a trois bébés (*bis*)
   Ils ont de beaux yeux noirs et des cheveux bouclés, laridé

M'en allant à la chasse

(Version — La voilà ma mie)

REFRAIN

La voilà ma mie, qu'mon coeur aime tant
La voilà ma mie, qu'mon coeur ai-aime

COUPLETS

1 M'en revenant de la jolie Rochelle (*bis*)
   J'ai rencontré trois jolies demoiselles

2 J'ai pas choisi, mais j'ai pris la plus belle (*bis*)
   J'la fis monter, derrièr' moi sur ma selle

3 Je fis cent lieues sans parler avec elle (*bis*)
   Au bout d'cent lieues, elle me d'mandit à boire

4 Je l'amenai à la claire fontaine (*bis*)
   Quand elle fut là, elle ne voulut point boire

5 Je l'ai ram'née au logis de son père (*bis*)
   Quand elle fut là, elle buvait à pleins verr's

6 A la santé de son père et d'sa mère (*bis*)
   A la santé d'celui que son coeur aime

M'en revenant de la jolie Rochelle

M'EN RE- VE- NANT DE LA JO- LI' RO-
CHEL- LE, J'AI REN- CON- TRÉ TROIS JO- LIES DE- MOI-
SELL'S. LA VOI- LÀ MA MI' QU'MON CŒUR AI- ME
TANT, LA VOI- LÀ MA MI' QU'MON CŒUR AI- ME! - ME!

REFRAIN

Guedap Sam
Ça va-t-y monter roulant roulette
Et puis Guedap Sam
Ça va-t-y monter roulant roulé

COUPLETS

1 M'en revenant de Saint-André   *(bis)*
  Ça va-t-y monter roulant roulé
  Dans mon chemin j'ai rencontré *(au refrain)*

2 Dans mon chemin j'ai rencontré   *(bis)*
  Ça va-t-y monter roulant, roulé
  Trois cavaliers fort bien montés

  (A chaque autre couplet, on répète la dernière phrase en
  ajoutant « Ça va-t-y monter, roulant roulé »
  Et on ajoute la strophe suivante)

3 L'un à cheval, les autres à pied

4 Celui d'à pied m'a demandé

5 Où irons-nous ce soir coucher?

6 Vous coucherez dans l'poulailler

7 Avec les poules à vos côtés.

M'en revenant de Saint-André

M'EN RE-VE-NANT DE ST. AN-DRÉ CA VA-T'Y MON-TER ROULANT ROULÉ DANS MON CHE-MIN J'AI REN-CON-TRÉ CA VA-T'Y MON-TER ROULANT ROULETTE ET PIS GUÉ DAP SAM CA VA-T'Y MON-TER ROULANT ROULETTE ET PIS GUÉ-DAP SAM CA VA-T'Y MON-TER ROULANT ROULÉ

REFRAIN

Miktamik, je vol', katou
Miktamik, je vole

COUPLETS

1 Je vais vous chanter un' chanson
   Composée de ment'ries
   S'il y a un mot de vérité d'dans
   Je veux perdre la vie (*refrain*)

2 Je m'suis levé de bon matin
   Comm' le soleil se couche
   C'est pour aller dans mon jardin
   Pour cueillir la citrouille (*refrain*)

3 Dans mon chemin j'ai rencontré
   Un arbre de groseilles
   J'y ai frappé ma canne au pied
   J'ai fait tomber des prunes (*refrain*)

4 M'en a tombé un' sur l'orteil
   M'a fait saigner l'oreille
   J'ai pris ma charrue sur mon dos
   Et mes boeufs dans ma poche (*refrain*)

5 Je m'en ai 'té pour labourer
   Où il n'y a pas de terre
   J'en ai labouré six sillons
   J'y ai mis huit semaines (*refrain*)

6 Je m'en suis retourné chez nous
   J'ai trouvé bon ménage
   J'ai trouvé ma femme à couver
   Et ma poulett' qui file (*refrain*)

7 Y avait trois mouches au plancher
   Qui s'éclataient de rire
   Il en est tombé une en bas
   Elle s'est cassé la cuisse (*refrain*)

8 Il a fallu pour lui latter
   Un gros mât de navire
   Il a fallu pour lui lacer
   Un gros câble de brick(e) (*refrain*)

Les ment'ries

JE VAIS VOUS CHAN-TER UN' CHAN - SON COM-
PO-SEÉ DE MEN- TRI - ES; S'IL YA UN
MOT D'VE-RI -TÉ D'DANS JE VEUX PER- DRE LA
VI - E MIK-TA MIK, JE VOL', KA-TOU; MIK-TA
MIK, JE VO - LE

REFRAIN

(LENT)   *Meunier tu dors*
         Ton moulin va trop vite
         Meunier tu dors
         Ton moulin va trop fort

(PRESTO) *Ton moulin, ton moulin*
         Va trop vite
         Ton moulin, ton moulin
         Va trop fort
         Ton moulin, ton moulin
         Va trop vite,
         Ton moulin, ton moulin
         Va trop fort.

SOLO   — Trois canards déployant leurs ailes

CHOEUR — Coin, coin, coin

SOLO   — Disaient à leurs cannes fidèles

CHOEUR — Coin, coin, coin

SOLO   — Quand donc finiront nos tourments

CHOEUR — Coin, coin, coin

SOLO   — Quand donc finiront nos tourments

CHOEUR — Coin, coin, coin!

Meunier tu dors

TROIS CA - NARDS DÉ - PLOY - ANT LEURS AILES, COIN, COIN, COIN! DI-

SAIENT À LEURS CA - NES FI DÉLES: COIN! COIN! COIN! QUAND

DONC FI - NI - RONT NOS TOUR- MENTS? COIN! COIN! COIN! QUAND

DONC FI - NI - RONT NOS TOUR- MENTS? COIN! COIN! COIN! COIN! MEU-

NIER TU DORS TON MOU- LIN VA TROP VI - TE, MEU-

NIER TU DORS TON MOU- LIN VA TROP FORT!

TON MOU-LIN, TON MOU-LIN VA TROP VI -TE, TON MOU-LIN, TON MOU-LIN

VA TROP FORT. TON MOU-LIN, TON MOU - LIN VA TROP VI -TE

- TON MOU-LIN, TON MOU- LIN VA TROP FORT

REFRAIN

Mon beau ruban gris
Ah!
Mon beau ruban fin
Mon beau ruban gris
Mon noir et mon vert, mon joli ruban gris
Mon beau ruban vert joli!

COUPLETS

1 Ce sont trois dames de Paris (*bis*)
   Ell's ont fait blanchir leur logis

2 Du seuil de la port' jusqu'au lit (*bis*)
   Du lit jusqu'au fond du jardin

3 Dedans ce jardin y a-t-un fruit (*bis*)
   Dedans les arbr's, y a-t-un nid

4 Dedans le ciel est la perdrix (*bis*)
   La perdrix dit dans son latin

5 Que tout's ces femm's ne valent rien (*bis*)
   Mais de nous homm's, ell' n'en dit rien.

Mon beau ruban gris

CE SONT TROIS DA - MES DE PA - RIS, CE SONT TROIS

DA - MES DE PA - RIS, ELLES ONT FAIT BLAN - CHIR LEUR LO-

GIS MON BEAU RU - BAN GRIS, Ah! MON BEAU RU - BAN

FIN, MON BEAU RU - BAN GRIS, MON NOIR ET MON

VERT, MON JO - LI RU - BAN GRIS, MON BEAU RU - BAN VERT JO - LI

Comment veux-tu mon merle, mon merle?
Comment veux-tu mon merle chanter?

COUPLETS

1 Mon merle a perdu son bec (*bis*)
   Un bec, deux becs, trois becs, marlo (*au refrain*)

2 Mon merle a perdu son oeil (*bis*)
   Un oeil, deux yeux, trois yeux,
   Un bec, deux becs, trois becs, marlo (*au refrain*)

3 Mon merle a perdu sa tête (*bis*)

4 Son cou

5 Son dos

6 Son aile

7 Son ventre

8 Ses pattes

9 Sa queue

Mon merle

MON MERLE A PER-DU SON BEC, MON MERLE A PER-DU SON
BEC UN BEC, DEUX BECS, TROIS BECS, MAR- LO COM-MENT VEUX-
-TU MON MERL', MON MER-LE, COM-MENT VEUX- TU MON MERL' CHAN - TER

1 Mon pèr' m'a donné un mari
   Ah! Mon Dieu quel homm', quel petit homme!
   Mon pèr' m'a donné un mari
   Ah! Mon Dieu quel homme qu'il est petit.

2 La nuit que j'couchis avec lui
   Ah! Mon Dieu...
   La nuit que j'couchis avec lui...
   Ah! Mon Dieu quel homm', qu'il est petit!

3 J'l'ai perdu dans la paill' du lit

4 J'prends la chandell', j'cherch' après lui

5 Le chat l'a pris pour une souris

6 Au chat! Au chat! C'est mon mari.

7 Jamais d'ma vie je n'ai tant ri.

Mon père m'a donné un mari

MON PÈR' M'A DON- NÉ UN MA - Ri, Ah! MON DIEU QUEL
HOMM' QUEL PE-TiT HOM- ME! MON PÈR' M'A DON- NÉ UN MA-
- Ri Ah! MON DIEU QUEL HOMM' QU'iL EST PE - TiT!

REFRAIN

Sautez mignonne Cécilia
Ah! Ah! Cécilia (bis)

COUPLETS

1 Mon pèr' n'avait fille que moi (*bis*)
   Encor' sur la mer il m'envoie

2 Le marinier qui m'y menait (*bis*)
   Il devint amoureux de moi

3 Souvent de fois, il s'approchait (*bis*)
   Et me disait d'un air niais

4 Ma mignonett' embrassez-moi (*bis*)
   Nenni monsieur je n'oserais

5 Car si mon papa le savait (*bis*)
   Fille battue ce serait moi

6 Mais qui donc, mamzell' lui dirait? (*bis*)
   Ce seraient les oiseaux du ciel

7 Les oiseaux du ciel parlent-ils? (*bis*)
   Ils parlent français, latin aussi

8 Mon Dieu! que le mond' est malin (*bis*)
   D'apprendr' aux oiseaux le latin.

Mon père n'avait fille que moi (Cécilia)

MON PÈRE N'A- VAIT FIL- LE QUE MOI, MON PÈRE N'A-

VAIT FIL- LE QUE MOI; DES-SUS LA MER IL M'EN-VOY-

A. SAU- TEZ, MI- GNON- NÉ, CÉ- CI- LI - A Ah!

Ah! Ah! Ah! CÉ- CI- LI- A! Ah! CÉ - CI - LI -A Ah!

Ah!

REFRAIN

Gai faluron dondaine,
Gai faluron, don-on-dé.

COUPLETS

1 Au beau clair de la lune, m'en allant promener
   J'ai rencontré Nanette, qui allait s'y baigner

2 Je lui ai dit Nanett' prends gard' de te noyer
   Nanette si follett', ne m'a pas écouté

3 Mettant son pied à l'eau, son coeur y s'est noyé
   Son corps est en dériv', le long d'un vert pommier

4 Beau pommier, beau pommier, tu es chargé de fleurs
   Ne faut qu'un petit vent, pour abattre tes fleurs

5 Ne faut qu'un petit vent, pour abattre tes fleurs
   Ne faut bell' qu'un passant, pour avoir tes faveurs.

Nanette

AU BEAU-CLAIR DE LA LUN', M'EN AL-LANT
PRO-ME- NER, J'AI REN-CON-TRÉ NANETT' QUI
AL-LAIT S'Y-BAI-GNER. GAI FA-LU-RON DON-
- DAI-NE, GAI FA-LU- RON DON - DÉ

REFRAIN

Ah! quel dommage
Quel dommage Martin
Ah quel domma-a-a-age

COUPLETS

1 Martin prend sa serpe
   Au bois il s'en va
   Faisait grand froid dur
   Le nez lui gela

2 Faisait grand...
   Le nez lui...
   Martin prit sa serpe
   Il se la coupa

3 Dans le trou d'un arbre
   Martin le plaça

4 Trois jeunes nonettes
   Ont passé par là

5 Ah! dit la plus jeune
   Ma soeur qu'est-ce donc ça?

6 C'est le nez d'un moine
   Qu'on a planté là

7 Dans le monastère
   Il nous servira

8 Au bout d'une perche
   Les cierges éteindra.

Le nez de Martin

MAR- TIN PREND SA SER - PE, AU BOIS iL S'EN VA. FAI-SAIT GRAND' FROI- DU - RE LE NEZ LUI GE- - LA Ah! QUEL DOM- MA- GE! QUEL DOM- MAG' MAR- TIN, Ah! QUEL DOM- MA- A- A- GE - GE

REFRAIN
On va-t-y n'avoir du plaisir
On va-t-y n'avoir du plaisir

COUPLETS
1 Dimanche après les vêpres
   Devinez qui j'ai rencontré
   La fille de Jean Gauthier
   Qui chez elle m'a amené (*au refrain*)

2 La fille de Jean Gauthier
   Qui chez elle m'a amené
   Elle m'ouvre la porte
   Et me dit monsieur « Entrez »

3 Elle m'ouvre...
   Prenez donc une chaise
   Approchez vous chauffer

4 Prenez donc...
   C'est pas du feu que j'cherche
   C't'une fill' à marier

5 C'est pas du feu...
   Quand on sera mariés
   On pourra s'embrasser

6 Quand on sera...
   On n'aura pas toujours
   La bonn' femm' pour nous « watcher »

On va-t-y n'avoir du plaisir

DI - MANCHE A - PRÈS LES VÊPRES, DE - VI-
NEZ QUI J'AI REN- CON - TRÉ, LA FILLE DE JEAN GAU-
-THIER, QUI CHEZ ELLE M'A AME - NÉ, ON VA-T-Y N'A-
- VOIR DU PLAI - SIR, ON VA-T-Y N'A - VOIR DU PLAI - SIR.

REFRAIN

J'aime, j'aimerai
J'ai le coeur si gai
J'entends branler, sonner les cloches
De l'Amour oh! gué!
Tout autour du moulin glin glin
Du moulin glon glon
La bergère oh! gué!

COUPLETS

1 Les oranges seront mûres
   Quand nous les cueillerons
   J'ai pris mon épluchette
   Mon panier sous mon bras

2 J'ai pris mon...
   J'm'en vas au marché vendre
   Au marché tout y va

3 Dans mon chemin rencontre
   Le fils d'un avocat

4 Qu'avez-vous donc la belle?
   Dans votr' panier-z-a bras

5 Oh! ce sont des oranges
   N'en prendriez-vous pas?

6 Il en prit une douzaine
   Mais ne les paya pas

7 Vous prenez mes oranges
   Vous n'me les payez pas

8 Il me prit il m'embrass'
   Aussitôt il s'en va

9 Voilà comment il paie
   Le fils d'un avocat.

Les oranges seront mûres

REFRAIN

Partons la mer est belle
Embarquons-nous, pêcheurs
Guidons notre nacelle
Ramons avec ardeur
Aux mâts hissons les voiles
Le ciel est pur et beau
Je vois briller l'étoile
Qui guide les matelots.

COUPLETS

1 Amis, partons sans bruit,
   La pêche sera bonne
   La lune qui rayonne
   Éclairera nos nuits
   Il faut qu'avant l'aurore
   Nous soyons de retour
   Pour sommeiller encore
   Avant qu'il soit grand jour

2 Ainsi chantait mon père
   Lorsqu'il quitta le port
   Il ne s'attendait guère
   A y trouver la mort
   Par les vents, par l'orage
   Il fut surpris soudain:
   Et d'un cruel naufrage
   Il subit le destin

3 Je n'ai plus que ma mère
   Qui ne possède rien
   Elle est dans la misère
   Je suis son seul soutien
   Ramons, ramons, bien vite
   Je l'aperçois là-bas,
   Je la vois qui m'invite
   En me tendant les bras

Partons la mer est belle

REFRAIN

Une perdriole, qui vient, qui va qui vole
Une perdriole, qui vole dans ces bois

COUPLETS

1 Le premier jour de mai que donnerais-je à ma mie *(bis)*
  (au refrain)

2 Le second jour de mai, que donnerais-je à ma mie *(bis)*
  Deux tourterelles.

  (Les couplets sont toujours les mêmes — Le 3ième jour,
  le 4ième jour etc., seuls les animaux changent et on remonte
  jusqu'au premier couplet.
  Comme exemple, nous publions le dernier, le 10ième couplet)

10 Le dixième jour de mai, que donnerais-je à ma mie? *(bis)*
   Dix veaux bien gras
   Neuf chevaux avec leur selle
   Huit moutons avec leur laine
   Sept vach's à lait
   Six chiens courants
   Cinq lapins grattant la terre
   Quatr' canards volant en l'air(e)
   Trois rats des bois
   Deux tourterelles
   Une perdriole qui vient, qui va qui vole
   Une perdriole, qui vole dans ces bois.

Une perdriole

LE PRE-MIER JOUR DE MAI QUE DONN'-RAI- JE À MA

MIE, LE PRE-MIER JOUR DE MAI QUE DONN-RAI-JE À MA MIE ?

U- NE PER-DRI- O- LE QUI VIENT, QUI VA, QUI VO- LE.

U- NE PER-DRI- O- LE QUI VO- LE DANS CES BOIS.

BOIS. LE DEU-XIÈM, JOUR DE MAI QUE DONN-RAI- JE À MA

MIE, LE DEU-XIÈM, JOUR DE MAI QUE DONN-RAI- JE À MA- MIE?

DIX VEAUX BIEN GRAS, NEUF CHE- VAUX A -VEC LEUR

SEL- LE, HUIT MOU -TONS A-VEC LEUR LAI-NE. SEPT VACH'S À

LAIT, SIX CHIENS COU- RANTS, CINQ LA-

- PINS GRAT-TANT LA TER- RE, QUARTR' CA -NARDS VO -LANT EN

(Cette chanson sur l'air de « Le Bonhomme La Neige » fut écrite par Armand Leclaire, un des pionniers du théâtre canadien, alors qu'il travaillait au théâtre Chanteclerc)

1 J'ons quatre-vingt dix-huit ans
   Et malgré mes cheveux blancs
   J'ons toujours l'air guillerette
   Larirette (bis)
   Enfant du Bas-Canada
   La gaieté connaissons qu'ça
   Aussi j'somm's toujours pompette
   Lalirette, Lalirette
   Gai, gai, gai lonla!
   Lalirette gai, gai, gai lonlé

2 C'est au nord du St-Laurent
   Que j'somm' né y a ben longtemps
   Déjà j'faisions la risette
   Lalirette (bis)
   Pis avec moisseu Lévis
   Sommes battus un contr' dix
   J'en ons tiré du mousquette
   Lalirette...

3 On parle de tout supprimer
   Même notr' langue qu'on veut changer
   En english faire la causette
   Lalirette (bis)
   Ils promett'nt plus d'beurre que d'pain
   Et tous chant'nt sus l'même refrain
   Ôte-toi d'là que je m'y mette
   Lalirette...

4 Aujourd'hui nos députés
   Sont on n'peut plus entêtés
   Tous veulent manger d'la galette
   Lalirette (bis)
   Ils promett'nt plus d'beurr' que d'pain
   Et tous chant'nt le même refrain
   Ôte-toi d'là que je m'y mette
   Lalirette...

5 Quand on m'mettra dans l'cercueil
   N'allez point porter mon deuil
   Soyez plutôt en guoguette
   Lalirette (bis)
   Ça f'ra pas d'mal à mes os
   J'aurons point l'rum' de cerveau
   C'est la grâce que je vous souhaite
   Lalirette...

Le père Jos

J'ONS QUA- TRE- VINGT- DIX- HUITS ANS. ET MAL-
-GRÉ MES CHE- VEUX BLANES J'ONS TOU- JOURS L'AIR GUI- LHE
RET- TE LA LI- RET- TE, LA LI- RET- TE EN- FANT
DU BAS CA- NA- DA LA GAIE- TÉ J'CON- NAIS- SONS
ÇA AUS- SI J'SOMM's TOU- JOURS POM- PET- TE LA LI
RET- TE DÉ DÉ DÉ LON LA, LA LI RET- TE DÉ DÉ DÉ LON
LA

(Paroles et musique de Pierre Daignault)

REFRAIN
L'Père Poléon aim' les rigodons
Mais préfèr' encore son flacon

COUPLETS

1 L'Père Poléon de par chez nous (*bis*)
Joue d'la musique, prend un p'tit coup (*bis*)
Zing, zing, zing, sur son violon (*bis*)
Glou, glou, glou, sur sa bouteille (*bis*)
(*au refrain*)

2 L'Père Poléon de par chez nous (*bis*)
Joue d'la musique prend un p'tit coup (*bis*)
Piam, piam, piam, sur son piano (*bis*)
Zing, zing, zing, sur son violon (*bis*)
Glou, glou, glou, sur sa bouteille (*bis*)

3 L'Père Poléon...
Zoum, zoum, zoum, sur sa contr'basse (*bis*)
(*Remonter aux autres couplets*)

4 Gling, gling, gling, sur sa guitare

5 Boum, boum, boum, sur son tambour
(*on peut ajouter des instruments*
et des bruits, à volonté)

Père Poléon

PÈRE PO-LÉ-ON DE PAR CHEZ NOUS, JOUS D'LA MU-SIQUE PREND
UN P'TIT COUP, PÈRE PO-LÉ-ON DE PAR CHEZ NOUS, JOUS D'LA MU-SIQUE PREND
UN P'TIT COUP ZING-ZING-ZING, SUR- SON VIO-LON.
GLOU, GLOU, GLOU, SUR SA BOU-TEILLE, GLOU, GLOU, GLOU, SUR SA BOU-TEILLE,
PÈRE PO-LÉ-ON AIME LES RI-GO-DONS. MAIS PRÉ-FÈR' EN-CORE
SON FLA-CON PÈRE PO-LÉ-ON AIME LES RI-GO-DONS
MAIS PRÉ-FÈR' EN-CORÉ SON FLA-CON.

1 Ah! c'était un p'tit cordonnier (*bis*)
  Qui faisait fort bien les souliers (*bis*)
  Il les faisait si juste-si juste
  Il les faisait si drette-si drette
  Il les faisait si drette
  Pas plus qu'il en fallait

2 Quand il allait au cabaret (*bis*)
  Sa chopinette il lui fallait (*bis*)
  Il la buvait si juste-si juste
  Il la buvait si drette-si drette
  Il la buvait si drette
  Pas plus qu'il en fallait

3 Pour coudr' une paire de semell' (*bis*)
  Il n'avait guère son pareil (*bis*)
  Il la cousait si juste-si juste
  Il la cousait si drette-si drette
  Il la cousait si drette
  Pas plus qu'il en fallait.

4 Mais de retour à la maison (*bis*)
  Battait sa femme à coups d'bâton (*bis*)
  Il la battait si juste-si juste
  Il la battait si drette-si drette
  Il la battait si drette
  Pas plus qu'il en fallait.

Le petit cordonnier

Ah! C'é-tait un p'tit cor-don- nier. Ah! C'é- tait
un p'tit cor-don- nier, qui fai-sait fort bien les sou-
-liers. Qui fai-sait fort bien les sou- liers. Il
les fai-sait si just' (si just) il les fai-sait si
drett' (si drett) il les fai-sait si drett' pas
plus qu'il n'en fal-lait.

REFRAIN

On va-t-y n'avoir du plaisir
On va-t-y n'avoir d'l'agrément
Mouman.

COUPLETS

1 C'était une p'tite vache noire
  Toute moustachée de blanc, mouman
  Elle avait les corn's derrier'
  Et la queue par devant

2 Elle avait les cornes...
  Elle enfonça ses cornes
  Dans l'dos d'un habitant

3 Elle enfonça...
  Elle y enfonça si fort
  Qu'elle y dessoudra l'cadran

4 Elle y enfonça...
  Y s'rendit chez l'orfèvre
  Pour se faire souder l'cadran

5 Il se rendit...
  Soudez, soudez, orfèvre
  Je vous paierai comptant

6 Soudez, soudez, orfèvre...
  Si j'vous paie pas comptant
  Je vous paierai c'printemps

7 Si j'vous paie pas...
  Si je vous paie pas c'printemps
  Je vous devrai tout l'temps.

La petite vache noire

C'é - tait une p'tite vache noire toute mous-ta-chée de blanc, mou- man elle a- vait les corn's der- rier et la queue par de- vant on va→ t'y n'a- voir du plai- sir on va- t'y n'a- voir d'la- gré- ment mou- man

REFRAIN

Moi je m'f'rai faire
Un p'tit moulin sur la rivière
Et puis encor',
Un p'tit bateau pour passer l'eau

COUPLETS

1 Derrièr' chez nous ya-t-un étang (*bis*)
  Trois beaux canards s'en vont baignant (*au refrain*)

2 Le fils du roi s'en va chassant (*bis*)
  Avec son grand fusil d'argent

3 Visa le noir tua le blanc (*bis*)
  Oh! fils du roi tu es méchant!

4 D'avoir tué mon canard blanc (*bis*)
  Par-dessus l'aile il perd son sang

6 Par les yeux sort'nt des diamants (*bis*)
  Et par le bec, l'or et l'argent

6 Toutes ses plum's s'en vont au vent
  Trois dam's s'en vont les ramassant

7 C'est pour en fair' un lit de camp
  Pour y coucher tous les passants.

Un p'tit moulin sur la rivière

DER- RIER' CHEZ NOUS YA-T-UN É - TANG, DER-RIER' CHEZ

NOUS YA-T-UN É - TANG; TROIS BEAUX CA- NARDS S'EN VONT BRI

GNANT. JE ME SUIS FAIT FAIRE UN P'TIT MOU - LIN SUR LA RI-

VIÈR' ET PUIS EN- COR UN P'TIT BA - TEAU POUR PAS-SER L'EAU

REFRAIN

Filez, filez, ô mon navire
Car le bonheur m'attend là-bas. *(bis)*

COUPLETS

1 Sur le grand mât, d'une corvette
   Un petit mousse noir chantait
   Disait d'une voix inquiète
   Ces mots que la brise emportait
   « Ah! qui me rendra le sourire
   De ma mère m'ouvrant les bras ».

   (au refrain)

2 Quand je partis ma bonne mère
   Me dit; « Tu vas sur d'autres cieux
   De nos savanes, la chaumière
   Va disparaître, de tes yeux
   Pauvre enfant! si tu savais lire.
   Je t'écrirais, souvent hélas!

3 On te dira dans le voyage
   Que pour l'esclave est le mépris
   On te dira que ton visage
   Est aussi sombre que les nuits
   Sans écouter, laisse-les dire
   Ton âme est blanche, eux n'en ont pas!

4 Ainsi chantait sur la misaine
   Le petit mousse du tribord
   Quand tout à coup son capitaine
   Lui dit en lui montrant le port
   « Va mon enfant loin du corsaire
   Sois libre et fuis les coeurs ingrats »

DERNIER REFRAIN

Tu vas revoir ta pauvre mère
Et le bonheur est dans ses bras *(bis)*

Le petit mousse noir

SUR LE GRAND MÂT D'U- NE COR- VETTE UN PE-TiT
MOUS- SE NOiR CHAN- TAiT, Di-SANT D'U- NE VOiX iN - QUi-
ÈTE CES MOTS QUE LA BRiSE EM- POR- TAiT. Ah! QUi ME
REN- DRA LE SOU- Ri- RE DE MA MÈ- RE, M'OU-VRANT SES
BRAS Fi- LEZ, Fi- LEZ, Ô MON NA- ViRE, CAR LE BON-
hEUR M'AT-TEND LÀ- BAS! Fi- LEZ, Fi- LEZ, O MON NA-
ViRE, CAR LE BON- hEUR M'AT- TEND LÀ - BAS!

1 Quand j'étais chez mon père
   Papa Latour, maman Latour
   Et pis tour lour lour
   Quand j'étais...
   Garçon à marier (*bis*)

2 Je n'avais rien à faire
   Papa Latour, maman Latour
   Pépére Latour, mémére Latour
   Et pis tour lour lour
   Je n'avais...
   Qu'une femme à chercher (*bis*)

3 A présent j'en ai-t-une
   Papa Latour, maman Latour
   Pépére Latour, mémére Latour
   Cousin Latour, cousine Latour
   Et pis tour lour, lour
   A présent...
   Qui me fait enrager (*bis*)

4 Quand je reviens d'l'ouvrage
   Papa Latour, maman Latour
   Pépére Latour, mémére Latour
   Ma tante Latour, mon oncle Latour
   Cousin Latour, cousine Latour
   Et pis tour lour, lour
   Quand je reviens...
   Tout mouillé tout glacé (*bis*)

5 Soupe petit Jean soupe
   Papa Latour, maman Latour,
   Pépére Latour, mémére Latour
   Mon oncle Latour, ma tante Latour
   Cousin Latour, cousine Latour
   Baptiste Latour, Ti-Jos Latour
   Et pis tour lour, lour
   Soupe petit...
   Pour moi j'ai bien soupé (*bis*)

6 Les os sont sous la table
   Papa Latour, maman Latour
   Pépére Latour, mémére Latour
   Mon oncle Latour, ma tante Latour
   Cousin Latour, cousine Latour
   Baptiste Latour, Ti-Jos Latour
   Fanfan Latour, Ti-Pit Latour
   Et pis tour lour, lour
   Les os sont sous la...
   Si tu veux les ronger (*bis*)

7 P'tit Jean baisse la tête
   Papa Latour, maman Latour
   Pépére Latour, mémére Latour
   Mon oncle Latour, Ma tante Latour
   Cousin Latour, cousine Latour
   Baptiste Latour, Ti-Jos Latour
   Fanfan Latour, Ti-Pit Latour
   François Latour, Ti-Zeff Latour
   P'tit Jean baisse...
   Et se met à brailler (*bis*)

8 Braille petit Jean braille
   Papa Latour, maman Latour
   Pépére Latour, mémére Latour
   Ma tante Latour, mon oncle Latour
   Cousin Latour, cousine Latour
   Baptiste Latour, Ti-Jos Latour
   Fanfan Latour, Ti-Pit Latour
   François Latour, Ti-Zeff Latour
   André Latour, tous les Latour
   Braille petit...
   Et moi je vais chanter (*bis*)

Les petits Latour

QUAND J'É-TAIS CHEZ MON PÈ - RE PA-PA LA-
TOUR MA-MAN LA-TOUR ET A PI TOUR LOUR LOUR-
QUAND J'É-TAIS CHEZ MON PÉ - RE GAR-ÇON A MA-RI-ER
GAR-ÇON A MA-RI- ER GAR-ÇON A MA-RI-ER

1 C'est sur le bord du St-Laurent
  Pi-pin-pan, c'est l'amour qui la prend
  C'est sur le bord du St-Laurent
  Il y a trois joli's filles
  Il y a trois joli's filles, lonla
  Il y a trois jolies filles.

2 La plus jeune en s'y promenant,
  Pi-pin-pan, c'est l'amour qui la prend
  La plus jeune en s'y promenant
  Vit venir un navire
  Vit venir un navire, lonla
  Vit venir un navire.

  *(Les autres couplets se chantent tous de la même façon,
  seules les paroles changent)*

3 Si mon amant était dedans
  J'en s'rais la bienheureuse

4 Si par malheur qu'il n'y s'rait pas
  J'en s'rais malade au li'e

5 Faut aller qu'ri' le médecin
  Le meilleur de la ville

6 Le médecin en arrivant
  Connaît sa maladie

7 Mariez-là, car il est temps
  La bell' se met à rire.

Pi — pin — pan

C'EST SUR LE BORD DU SAINT LAU- RENT, PI PIN PAN C'EST L'A- MOUR QUI LA PREND, C'EST SUR LE BORD DU SAINT LAU- RENT, IL YA TROIS JO- LI'S FIL- LES IL YA TROIS JO-LI'S FIL- LES, LON, LA IL YA TROIS JO- LI'S FIL- LES

REFRAIN

La pointe du jour, arrive arrive
Le joli jour, arrivera.

COUPLETS

1 La surveille de mes noces
  Ah! grand Dieu qu'la nuit dura
  J'mis la tête à la fenêtre
  Vis la lune au coin du bois (*au refrain*)

2 J'mis la tête à la fenêtre
  Vis la lune au coin du bois.
  Je lui dis « O belle lune
  Tu n'es donc encor' que là »

3 Je lui dis « O belle lune
  Tu n'es donc encor' que là
  Je te croyais à quatre heures
  A minuit tu n'es même pas

4 Je te croyais à quatre heures
  A minuit tu n'es même pas
  Si j'avais mon arbalète
  Je te jetterais à bas

5 Mais la mer' qu'est aux écoutes
  Entendit ce discours-là
  « Taisez-vous, petite sotte
  Votre père le saura ».

La pointe du jour

LA SUR- VEIL- LE DE MES NO- CES, Ah! GRAND

DIEU QU'LA NUIT DU- RA! J'MIS LA TÊTE À LA FE-

NÊ- TRE, VIS LA LUNE AU COIN DU BOIS, LE POINT DU

JOUR AR- RIVE, AR- RI - VE, LE JO- LI JOUR AR- RI -VE-

- RA

1 Dans la vie y a t'un pont (*bis*)
  Que travers'nt tous les garçons (*bis*)
  L'pont est bâti tout d'travers
  Tout le long de la rivière
  Et ils ont tous l'intention
  De vouloir traverser la rivière
  Et ils ont tous l'intention
  De vouloir traverser le pont

2 Des jeun's fill's parlons-en donc (*bis*)
  Aussitôt l'âge de raison (*bis*)
  Elles s'en vont à la rivière
  En regardant par derrière
  Elles ne cherch'nt que l'occasion
  De pouvoir traverser la rivière
  Elles ne cherch'nt que l'occasion
  De pouvoir traverser le pont

3 Des vieill's fill's, parlons-en donc (*bis*)
  Sont toutes comme de vieux tisons (*bis*)
  Elles ont toutes le coeur en peine
  Quand arrive la quarantaine
  Elles attend'nt les vieux garçons
  Pour pouvoir traverser la rivière
  Elles attend'nt les vieux garçons
  Pour pouvoir traverser le pont

4 Regardez les gens mariés (*bis*)
  Et ils ont tous le coeur gai (*bis*)
  Ils ont tous le coeur en fête
  De tout's chos's qu'ils ont pu faire
  Ils rient tous de ma chanson
  Car ils ont traversé la rivière
  Ils rient tous de ma chanson
  Car ils ont traversé le pont

Le pont de la vie

DANS LA VIE Y - A T'UN PONT DANS LA
VIE Y - A T'UN PONT QUE TRA - VERS'NT TOUS LES GAR-
- ÇONS QUE TRA - VERS'NT TOUS LES GAR- ÇONS L'- PONT
EST BA- TI D'TRA- VERS TOUS LE LONG DE LA RI- VIE-
- RE ET ILS ONT- TOUS L'IN- TEN -TIONS DE VOU- LOIR
TRA- VER SES LA RI- VIE- RE ET ILS ONT- TOUS L'IN-TEN-
- TION DE VOU- LOIR TRA-VER- SER LE PONT

Paroles et musique de Pierre Daignault

REFRAIN

Sous le pommier doux (bis)
Sous le pommier doux

COUPLETS

1 Par derrièr' chez mon père
   Savez-vous ce qu'il y a tiguida? (bis)
   Y a des oiseaux qui chant'nt
   Mais y a aussi des filles qui dans'nt
   (le choeur) Où ça? (au refrain)

2 Il y a la bell' Catherin'
   Qui y va faire son tour tiguida (bis)
   Rencontr' son cavalier
   Tous les deux sont allés s'cacher
   (Le choeur) Où ça?

3 Assis sur l'herbe tendr'
   Tous deux se sont parlés, tiguida (bis)
   Puis, son beau cavalier
   Tendrement il l'a embrassée—OÙ ÇA?

4 Catherin' elle a rougi
   Mais ell' n'a pas dit non, tiguida (bis)
   Mais le vent s'est él'vé
   Et y a une pomm' qui est tombée OÙ ÇA?

5 Tout comm' au Paradis
   Ils ont croqué la pomm' tiguida (bis)
   Deux semaines ont passé
   Tous les deux se sont retrouvés OÙ ÇA?

6 Ce qui d'vait arriver
   Un beau jour arriva tiguida (bis)
   Ils se sont mariés
   Et plus tard y ont fait baptiser, OÙ ÇA?

7 Par derrièr' chez mon père
   Savez-vous ce qu'il y a , tiguida (bis)
   Y a un vieux coupl' marié
   Qui vient souvent se promener

Le pommier doux

REFRAIN

En tapant du pied, aussi de la main
Un tour sur son voisin
Avoin', avoin' que le bon Dieu t'amène.

COUPLETS

1 Quand le bonhomme a labouré sa terre (*bis*)
   Il l'a labouré' comme ci,
   Il l'a labouré' comme ça, (*au refrain*)

2 Quand le bonhomme a semé son avoine (*bis*)
   Il l'a semé' comme ci,
   Il l'a semé' comme ça, (*au refrain*)

3 Quand le bonhomme a fauché son avoine (*bis*)
   Il l'a fauché' comme ci,
   Il l'a fauché comme ça, (*au refrain*)

4 Quand le bonhomme a rentré son avoine (*bis*)
   Il l'a rentré' comme ci,
   Il l'a rentré' comme ça (*au refrain*)

Quand le bonhomme a labouré sa terre

1 Quand Pinson va voir Mina
   Sa jument au grand galop
   Il arriv' chez la d'moiselle
   Excusez-moi mon p'tit grain d'sel
   J'suis venu vous demander
   Si vous vouliez vous marier   *(bis)*

2 Mais Mina, en le voyant
   Lui fait vit' son compliment
   Allez donc chez la voisine
   Ell'a un gallon d'térébenthin'
   Allez donc vous faire frotter
   Vous avez l'nez bien qu'trop enflé   *(bis)*

3 Parlons donc de votr' famille
   C'est un' famille en renommée
   Vot' grand'père, c'est un pantin
   Vot' grand'mère, une vieille catin
   Pis votr' grand' soeur Marie-Julie
   On dit qu'a l'nez comme une toupie   *(bis)*

4 Parlons donc de votr' grand'frère
   On jurerait d'un millionnaire
   Y a la faussett' du cou tout noir
   Il annonc' rien qu'la misère
   Depuis qu'il vient de Burlington
   Y veut pus parler à personne   *(bis)*

5 Alors, Pinson, pas trop content
   S'en r'tourn' avec sa jument
   Ben assis dans sa carriole
   Que la neig' partout en r'vole
   Chez son père s'en est allé
   Ben décidé d'y rester   *(bis)*

Quand Pinson va voir Mina

QUAND PIN - SON VA VOIR MI - NA SA JU-

MENT AU GRAND GA- LOP IL AR - RiV' CHEZ LA D'MOi

SELLE EX - CU- SEZ MOi MON P'TiT GRAiN D'SEL J'SUiS VE-

NU VOUS DE- MAN- DER Si VOUS VOU- LiEZ VOUS MA- Ri-

ER

REFRAIN

Les deux pattes en l'air (e)
Rabats-la donc ta patte, ma patte.
Rabats-la donc ta patte.

COUPLETS

1 Mon père m'a donné un mari
  Rabats-la donc ta patte
  Il me l'a donné si petit (*au refrain*)

2 Ah! que je le perdis au lit
  Rabats-la donc ta patte
  Je pris la lampe et le cherchis (*au refrain*)

3 En le cherchant, j'mis l'feu au lit
  Rabats-la donc ta patte!
  J'ai trouvé mon mari rôti (*au refrain*)

4 Sur la fenêtr' je l'exposis
  Rabats-la donc ta patte!
  Un chat (af-) famé passant par 'ci (*au refrain*)

5 A mangé mon mari rôti
  Rabats-la donc ta patte!
  Oh chat! oh chat! c'est mon mari (*au refrain*)

6 Ah! si jamais je me r'marie!
  Rabats-la donc ta patte!
  J'en prendrai un d'six pieds et d'mi!
  (*au refrain*)

Rabats-la donc ta patte

MON PÈRE M'A DON-NÉ UN MA-RI; RA-BATS LA DONC TA PAT-TE IL ME L'A DON-NÉ SI PE--TIT, LES DEUX PATT'S EN L'AI-R(E)! RA-BATS LA DONC TA PAT-TE, MA PAT-TE RA-BATS LA DONC TA PAT-TE

REFRAIN

Bing sur le ring
Laissez passer les raftman
Bing sur le ring, bing bang!

COUPLETS

1 Là ousse qui sont tous les raftman (*bis*)
Dans les chantiers y sont montés (*au refrain*)

2 Dans les chantiers, y sont montés (*bis*)
Mais par Bytown y sont passés

3 Mais par Bytown y sont passés (*bis*)
Des provisions ont achetées

4 Des provisions...
En canot d'écorc' ils sont montés

5 En canot....
Dans les chantiers sont arrivés.

6 Dans les chantiers....
Des manch's de hach's ont fabriqués

7 Des manches....
Ils ont joué de la cognée

8 Ils ont joué....
Des « porks and beans » ils ont mangés

9 Des porks....
S'sont mis à faire du bois carré

10 S'sont mis....
Pour leur radeau, ben emmanché

11 Pour leur radeau....
En plein courant se sont lancés

12 En plein....
Avec l'argent qu'ils ont gagné

13 Avec l'argent....
Sont allés voir la mèr' Gauthier

14 Sont allés voir....
Et les gross's fill's ont mariées.

Les raftman

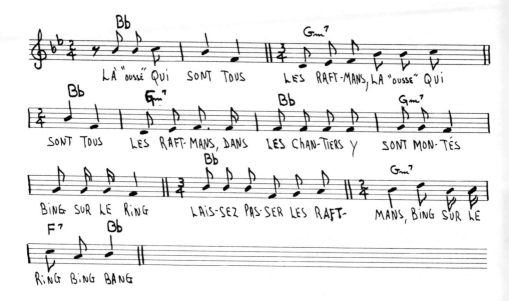

LA "OUSSÉ" QUI SONT TOUS LES RAFT-MANS, LA "OUSSE" QUI

SONT TOUS LES RAFT-MANS, DANS LES CHAN-TIERS Y SONT MON-TÉS

BING SUR LE RING LAIS-SEZ PAS-SER LES RAFT- MANS, BING SUR LE

RING BING BANG

1 Le bonhomm' est à la porte
La wingna-a-a (*bis*)
La bonn' femm' lui demande
Ce qu'il voulait(è), ce qu'il souhaitait(è).
Oh! je voudrais madame, j'voudrais bien entrer
Ah ben: Ell' dit, entre donc, ben hardiment
Mon mari é-t-au rapide blanc
Y a des homm's de rien qui entrent, qui entrent
Y a des hommes qui entrent et qui n'font rien.

2 Après qu'il fut entré
La wingna-a-a- (*bis*)
La bonn' femm' lui a demandé
Ce qu'il voulait (è), ce qu'il souhaitait (è)
Oh, je voudrais madame, j'voudrais bien m'chauffer
Ah ben elle' dit entre donc...

3 Après qu'il fut chauffé...
Je voudrais madame
J'voudrais bien manger...

4 Après qu'il eut mangé...
J'voudrais bien madame,
J'voudrais bien m'coucher

5 Après qu'il fut couché...
Je voudrais madame,
J'voudrais bien vous embrasser

6 Après qu'il l'eut embrassée...
J'voudrais ben madame, j'voudrais ben fortiller

7 Après qu'il eut fortillé...
J'voudrais'ben madame,
J'voudrais ben m'en aller
Ah ben! ell' dit Sacre ton camp ben hardiment
Mon mari é-t-au rapide blanc
Y a des homm's de rien qui s'en vont, qui s'en vont
Y a des homm's de rien qui s'en vont et qui n'font rien

Le rapide blanc

REFRAIN

Ah!ah! l'homme engagé
Connaissait bien l'bobo d'la fille
Ah! ah! l'homme engagé
Connaissait bien l'bobo qu'ell' avait.

TOUS LES COUPLETS COMMENCENT DE LA MÊME FAÇON

Marie demande à sa mère
Un remède pour son talon
La mère lui répondit ma fille
(*NOM DU LÉGUME*)
Ça s'rait-y bon

COUPLETS

1 Un oignon, c'est trop rond (*au refrain*)

2 Une patate, c'est trop plate,
   Un oignon c'est trop rond (*refrain*)

3 Un navot, c'est trop gros
   Une patate, c'est trop plate
   Un oignon, c'est trop rond (*au refrain*)

4 Du persil, ça réjouit
   (*On remonte aux autres couplets*)

5 Une barbotte, ça gigotte

6 Une anguille, ça fortille

7 Un garçon c'est bien bon

Un remède à son talon

MA - RIE DE - MAN - DE À SA MÈRE UN RE - MÈDE POUR SON TA-

- LON, LA MÈRE LUI RÉ - PON - DIT MA FILLE, UN OI - GNON ÇA S'RAIT-Y

BON, AH, AH, L'HOMM' EN - GE - GÉ, CON - NAIS - SAIT BIEN L'BO - BO D'LA

FILLE, AH, AH, L'HOMM' EN - GE - GÉ, CON - NAIS - SAIT BIEN L'BO - BO QU'ELL' A-

- VAIT

DUO

1 *ELLE* — D'où venez-vous si crotté, monsieur le Curé (*bis*)
   LUI — Je m'en reviens du marché, Simone, O ma Simone
              Je m'en reviens du marché, ma petite mignonne!

2 *ELLE* — Que m'avez-vous apporté...
   LUI — Des souliers, c'est pour danser...

3 *ELLE* — Quand allez-vous m'les donner..
   LUI — Quand tu sauras travailler...

4 *ELLE* — Mais je sais coudre et filer...
   LUI — Alors, je vais t'les donner...

5 *ELLE* — Je voudrais me confesser...
   LUI — Dis-moi ton plus gros péché...

6 *ELLE* — C'est celui de vous aimer...
   LUI — Alors, faut se séparer...

7 *ELLE* — Peut-être que j'en mourrai...
   LUI —.Eh bien! Je t'enterrerai...

8 *ELLE* — Est-ce que vous me pleurerez, monsieur le Curé (*bis*)
   LUI — Non, car il faudra chanter, Simone, O ma Simone
              « Requiescat in pace »!
              Ma petite mignonne.

Simone

D'OU VE- NEZ VOUS SI CROT - TÉ, MON-SIEUR LE CU-

RÉ? JE M'EN RE- VIENS DU MAR- CHÉ, SI- MONE, Ô MA SI-

MO- NÉ! JE M'EN RE- VIENS DU MAR- CHÉ MA

PE- TI-TE MI- GNON - NE!

REFRAIN

Son voile par ci, son voile par là,
Son voile qui volait, qui volait
Son voile qui volait au vent.

COUPLETS

1 C'était une jeune fille
   Qui n'avait que quinze ans
   Elle s'était endormie
   Au pied d'un rosier blanc

2 Elle s'était endormie
   Au pied d'un rosier blanc
   Le vent soul'va sa robe
   Fit voir son jupon blanc

3 Le vent soul'va...
   Aussi ses belles jarretières
   Garnies de ruban blanc

4 Et autre chose aussi
   De bien plus séduisant

5 Heureux, heureux celui
   Qui sera son amant

6 Il aura l'avantage
   De lui prendre souvent

7 Mais, ce que je veux dire
   La boucle de son ruban

8 Malheur à vous, mesdames
   Qui pensiez autrement.

Son voile qui volait

C'É- TAIT UNE JEU-NE FIL- LE, QUI N'A- VAIT QUE QUINZE ANS, ELLE S'É- TAIT EN- DOR - MI - E, AU PIED D'UN RO-SIER BLANC, SON VOILE PAR- CI, SON VOILE PAR- LÀ, SON VOILE QUI VO-LAIT, QUI VO- LAIT, SON VOILE QUI VO - LAIT AU VENT.

Et soufflons-y su' l'tir, lir', lire!
Et soufflons-y tout l'toure!

COUPLETS

1 Ce sont les gens de Boucherville (*bis*)
   Ils ont fait un pâté si grand

2 Ils ont fait un pâté si grand (*bis*)
   Qu'ils ont trouvé un homm' dedans

3 Qu'ils ont trouvé....
   Ils ont trouvé encor' bien plus

4 Ils ont trouvé....
   Ils ont trouvé un chat poilu!

5 Ils ont trouvé....
   De c'pâté-la, moi j'en mang' plus

6 De c'pâté-la....
   A moins qu'il soit bien arrosé

7 A moins qu'il soit....
   Avec du rye et du brandy!

Soufflons-y tout l'tour

CE SONT LES GENS DE BOU-CHER-VILLE. CE SONT LES GENS
DE BOU-CHER- VILLE. ILS ONT FAIT UN PÂ-TÉ SI
GRAND ET SOUF- FLONS- Y SU' L'TIR LIR' LIRE! ET SOUF- FLONS-
-Y TOUT L'TOU- RE!

REFRAIN

Ah ! que la route est belle, belle
Que la route est belle, belle, à Berthier

COUPLETS

1 Sur la route de Berthier (*bis*)
   Il y avait un cantonnier (*bis*)
   Et qui cassait (*bis*)
   Des tas d'cailloux (*bis*)
   Et qui cassait des tas d'cailloux
   Pour mettr' sous l'passag' des roues
   Roues-roues-roues-roues-(*au refrain*)

2 Une grand' dam' vint à passer (*bis*)
   Dans un beau carrosse doré (*bis*)
   Et qui lui dit (*bis*)
   Beau cantonnier (*bis*)
   Et qui lui dit, beau cantonnier
   Tu fais un fichu d'métier
   Tier-tier-tier-tier (*au refrain*)

3 Le cantonnier lui répond (*bis*)
   « Faut que j'nourrisse mes garçons (*bis*)
   Car si j'roulions (*bis*)
   Carrosse comme vous (*bis*)
   Car si j'roulions carrosse comme vous
   Je n'casserions point d'cailloux »

4 Cette réponse fut remarquée (*bis*)
   Par sa grand' simplicité (*bis*)
   C'est c'qui prouv' que (*bis*)
   Les malheureux (*bis*)
   C'est c'qui prouv' que, les malheureux
   S'ils le sont, c'est malgré-z-eux
   Z'eux-z'eux-z'eux-z'eux

Sur la route de Berthier

SUR LA ROU-TE DE BER-THIER, SUR LA ROU-TE
DE BER-THIER, Y A-VAIT UN CAN-TON-NIER, Y A-
-VAIT UN CAN-TON-NIER, ET QUI CAS-SAIT
DES TAS D'CAIL-LOUX ET QUI CAS-SAIT DES
TAS D'CAIL-LOUX POUR METTRE SOUS L'PAS-SAGE DES
ROUES, ROUES, ROUES, ROUES, ROUES, ROUES, ROUES, ROUES, AH, QUE LA ROUTE ET
BEL-LE, BEL-LE. QUE LA ROUTE EST BEL-LE, BEL-LE, A BER-THIER

1 Sur la route de Dijon
  La belle digue, dig'
  La belle diguedon   } (*bis*)
  Il y avait une fontaine
  Digu'don, digu'dondaine
  Il y avait une fontaine
  Aux oiseaux, aux oiseaux.

2 Près d'elle un joli tendron
  La belle digue, dig'
  La belle diguedon   } (*bis*)
  Pleurait comme un' Madeleine
  Digu'don, digu'dondaine
  Pleurait comme un' Madeleine
  Aux oiseaux, aux oiseaux.

3 Par là passe un bataillon
  La belle...
  Qui chantait à perdr' haleine

4 Bell', comment vous nomme-t-on?
  La belle...
  On me nomme Marjolaine

5 Marjolain' c'est un doux nom
  La belle...
  S'écria-t-un capitaine

6 Marjolain', qu'avez-vous donc?
  La belle...
  Messieurs, j'ai beaucoup de peine

7 Parait qu'tout le bataillon
  La belle...
  Consola la Marjolaine

8 Si vous passez par Dijon
  La belle...
  Allez boir' à la fontaine
  Digu'don, digu'dondaine
  Ça consolera Marjolaine
  Aux oiseaux, aux oiseaux.

Sur la route de Dijon

SUR LA ROU-TE DE DI - JON, LA BEL-LE DI - GUE DIG, LA BEL-LE DI GUE DON. il Y-A-VAIT U - NE -, FON TAI - NE, DIG' DON DIG DON-DAI - NE il Y-A-VAIT U- NE - FON - TAI - NE AUX OI - SEAUX, AUX OI-SEAUX

(C'était un vieux sauvage)

REFRAIN

Ah! Ah! Ténaouich' ténaga, ouich'ka (bis)

COUPLETS

1 C'était un vieux sauvage, tout noir, tout barbouillé
  Ouich'ka
  Avec sa vieill' couverte, et son sac à tabac
  Ouich'ka (*au refrain*)

2 Avec sa vieill' couverte et son sac à tabac
  Ouich'ka
  Mon capitaıne est more, est more et enterra
  Ouich'ka (*au refrain*)

3 Mon capitaine est more, est more et enterra
  Ouich'ka
  Sont quatre vieux sauvages qui port'nt les coins du drap
  Ouich'ka (*au refrain*)

5 Sont quatre vieux sauvages qui port'nt les coins du drap
  Ouich'ka
  Et quatre sauvagesses qui chant'nt le « libera »,
  Ouich'ka (*au refrain*)

Tenaouiche — Tenaga

C'É - TAIT UN VIEUX SAU - VA - GE TOUT NOIR, TOUT BAR-BOU-
iLLÉ, OUICH'- KA A - VEC SA VIELL' COU - VER-TE ET
SON SAC À TA - BAC. OUICH' - KA! Ah!
Ah! -TA - NA, OUICH'T ÉNA - GA, OUICH' - KA! Ah!
Ah! -TANA, OUICH'T ÉNA - GA, OUICH - 'KA!

(Paroles de Pierre Daignault — Musique Claude Roy)

1 Viens avec nous, Mignonne, le printemps apparaît (*bis*)
Le printemps apparaît, le temps des sucres est arrivé (*bis*)

2 Voici la sève qui monte, les érables vont couler (*bis*)
Les érables vont couler, le temps des sucres est arrivé (*bis*)

3 Allons à la cabane, partons tous en traîneau (*bis*)
Partons tous en traîneau, le temps des sucres est arrivé (*bis*)

4 Y a des om'lett's d'la tir', le bon sirop d'érable (*bis*)
Et le bon sirop d'érable, le temps des sucres est arrivé (*bis*)

5 Lichons tous la palette, à s'en user le bec (*bis*)
A s'en user le bec, le temps des sucres est arrivé (*bis*)

6 On saute, on rit, on chante, y a des bonn's parties d'set (*bis*)
Y a des bonn's parties d'set, le temps des sucres est arrivé (*bis*)

7 Le soir on s'en retourne, complèt'ment épuisé (*bis*)
Complèt'ment épuisé, le temps des sucres est arrivé (*bis*)

8 C'est fini les érables, l'printemps est arrivé (*bis*)
L'printemps est arrivé, LE TEMPS DES SUCRES EST TERMINÉ (*bis*)

Le temps des sucres

VIENS A-VEC NOUS MI - GNON-NE LE
PRIN - TEMPS AP- PA - RAIT LE PRIN - TEMPS AP - PA —
RAIT LE TEMPS DES SUCRES EST AR- RI — VÉ LE PRIN-
TEMPS AP- PA - RAIT LE TEMPS DES SUCRES EST AR- RI VÉ

REFRAIN

Youp, youp, youp, tire mon billet
Vous ne m'attendez guère
Youp, youp, youp, tire mon billet
Vous ne m'attendez pas
(LE CHOEUR REPREND LE REFRAIN AU COMPLET)

COUPLETS

1 Madame, elle a un grand chapeau *(bis)*
   Un grand chapeau *(bis)*
   Ah oui, oui, oui! *(bis)*
   Et encore oui *(bis)*

2 Madame, elle a un beau collier *(bis)*
   Un beau collier *(bis)*
   Un grand chapeau *(bis)*
   Ah oui, oui, oui *(bis)*
   Et encore oui *(bis)*

3 Madame, elle a une belle robe *(bis)*
   Une belle robe *(bis)*
   Un beau collier *(bis)*
   Etc...

4 Madame, elle a de beaux bas d'soie *(bis)*
   De beaux bas d'soie *(bis)*
   Une belle robe *(bis)*
   Etc...

5 Madame, elle a de beaux souliers *(bis)*
   De beaux souliers *(bis)*
   De beaux bas d'soie *(bis)*
   Etc...

Tire mon billet

MA- DAM' ELLE A UN GRAND CHA- PEAU, MA- DAM' ELLE A UN
GRAND CHA- PEAU UN GRAND CHA- PEAU UN GRAND CHA- PEAU YOUP YOUP YOUP
Ti- RE MON BIL- LET VOUS NE M'AT-TEN-DEZ GUÈ- RE. YOUP YOUP YOUP
Ti -RE MON BIL- LET VOUS NE M'AT-TEN-DEZ PAS.

REFRAIN

Titi Carabi, toto carabo, compère Guilleri
Te laisseras-tu, te laisseras-tu
Te laisseras-tu, mou-ou-rir.

COUPLETS

1 Il était un p'tit homme
   Qui s'appelait Guilleri Carabi
   Il alla-t-à la chasse
   A la chasse aux perdrix carabi
   (*au refrain*)

2 Il alla-t-à la chasse
   A la chasse aux perdrix, carabi
   Il monta dans un arbre
   Pour voir ses chiens couri(r), carabi.

3 Il monta dans un arbre
   Pour voir ses chiens couri(r), carabi
   La branche vint à rompre
   Et Guilleri tombit, carabi.

4 La branche vint à rompre
   Et Guilleri tombit, carabi
   Les dames de l'hôpital
   Sont accourues vers lui, carabi

5 Les dames de l'hôpital
   Sont accourues vers lui, carabi
   On lui banda la jambe
   Et le bras lui remit, carabi.

Titi Carabi

iL É - TAIT UN P'TiT HOM - ME, QUi S'AP - PELAiT GUiL - LE -
- Ri, CA - RA - Bi, iL AL - LA - T-A LA CHAS - SE A
LA C'iSSE AUX PER - DRiX, CA - RA - Bi Ti - Ti CA - RA - Bi, TO
- TO CA - RA - BO, COM - PÈ - RE GUiL-LE - Ri, TE LAiSSE - RAS-
TU, TE LAiSSE - RAS- TU, TE LAiSSE-RAS- TU, MOU - RiR.

REFRAIN
Tu danses bien Madeleine
L'rigodon Madelon
T'accord's bien, Madeleine
Du talon, Madelon

COUPLETS

1 A la claire fontaine, m'en allant promener
   J'ai trouvé l'eau si belle que je m'y suis baigné

2 Sous les feuilles d'un chêne, je me suis fait sécher
   Sur la plus haute branche, le rossignol chantait

3 Chante rossignol chante, toi qui as le coeur gai
   Tu as le coeur à rire, moi je l'ai à pleurer

4 J'ai perdu ma maîtresse sans l'avoir mérité
   Pour un bouquet de roses que je lui refusai

5 Je voudrais que la rose fut encore au rosier
   Et que ma bell' amie, fut toujours à m'aimer

Tu danses bien Madeleine

A LA CLAI-RE FON- TAI-NE M'EN AL-LANT PRO-ME-

-NER. J'AI TROU-VÉ L'EAU SI BEL-LE QUE JE M'Y SUIS BAI-

-GNÉ TU DANSES BIEN MA-DE- LEI-NE L'RI-GO- DON MA-DE-

-LON. T'AC-CORD' BIEN MA-DE- LEI-NE DU TA -LON MA-DE-LON

1 Vive la Canadienne,
   Vole mon coeur vole
   Vive la Canadienne et ses jolis yeux doux
   Et ses jolis yeux doux, doux, doux,
   Et ses jolis yeux doux.

2 Je l'emmène aux noces
   Vole mon coeur vole
   Dans ses jolis atours
   Dans ses jolis atours, tour, tour
   Dans ses jolis atours

3 Nous jasons sans gêne...
   Nous nous amusons tous...

4 Dansons avec Blondine...
   Et changeons tour à tour...

5 On passe la carafe...
   Nous buvons tous un coup...

6 Alors tout' la terre...
   Nous appartient partout...

7 Nous nous l'vons de table...
   Le coeur en amadou...

8 Finissons par mettre...
   Tout sens dessus dessous...

Vive la canadienne

VIVE LA CA - NA- DIEN - NE VO- LE, MON COEUR,

VO - LE ! VIVE LA CA - NA - DIEN- NE ET SES JO-LIS YEUX

DOUX! DOUX ET SES JO- LIS YEUX DOUX, DOUX, DOUX, ET SES JO-

- LIS YEUX DOUX!

(Paroles nouvelles de P. Daignault)

REFRAIN

Et l'on chante, tra la la la
Et l'on chante tra la la la
Et l'on chante vive le plaisir
Vive l'amour

COUPLETS

1 Ça commence par une jeune fille
   On lui trouve les yeux doux
   Elle est belle, elle est gentille
   Bientôt on devient son époux

2 Puis, on fait signe aux sauvages
   Pour qu'ils apportent un bébé
   Ils reçoivent votr' message
   Et vous v'là tout excité

3 C'est la joie d'être papa
   Mon doux un bébé, c'est fin
   Pas quand ça chante l'opéra
   A trois, qutr' heures du matin

4 Vous projetez un voyage
   Avec votr' femme et vos enfants
   V'là qu'avec tous ses bagages
   Vous arrive la bell' maman

5 Même si on refus' d'le dire
   Un beau jour, on se sent vieux
   On n'vit plus que de souvenirs
   Avec sa vieille, au coin du feu.

Vive le plaisir, vive l'amour

CA COM - MENCE PAR UNE JEUN' FILLE, ON LUI TROU-VE LES YEUX DOUX, ELLE EST BELL' ELLE EST GEN-TILLE, BIEN-TÔT ON DE- VIENT SON É- POUX, ET L'ON CHANTE, TRA LA LA LA, ET L'ON CHANTE, TRA LA LA LA, ET L'ON CHANTE, VIVE LE PLAI - SIR, VI - VE L'A - MOUR,

REFRAIN

V'la l'bon vent, v'la l'joli vent
V'la l'bon vent ma mie m'appelle
V'la l'bon vent, v'la l'joli vent
V'la l'bon vent, ma mie m'attend

COUPLETS

1 Derrière chez nous y a-t-un étang (*refrain*)
   Trois beaux canards s'en vont baignant

2 Le fils du roi s'en va chassant (*bis*)
   Avec son grand fusil d'argent

3 Visa le noir, tua le blanc (*bis*)
   O fils du roi, tu es méchant!

4 Par les yeux sortent des diamants (*bis*)
   Et par le bec, l'or et l'argent

5 Toutes ses plum's s'en vont au vent (*bis*)
   Trois dames s'en vont les ramassant

6 C'est pour en fair' un lit de camp (*bis*)
   Pour y coucher tous les passants

V'là l'bon vent

V'LÀ L'BON VENT, V'LÀ L'JO-LI VENT, V'LÀ L'BON VENT MA- MIE M'AP

- PEL- LE, V'LÀ L'BON VENT, V'LA L'JO-LI VENT, V'LÀ L'BON VENT MA- MIE M'AT

TEND, DER- RIÈRE CHEZ NOUS Y-A-T'UN É - TANG DER-RIÈRE CHEZ

NOUS Y-A-T'UN É - TANG, TROI BEAUX CA- NARDS S'EN VONT BAI-GNANT

REFRAIN

Youpe! youpe! sur la rivière
Vous ne m'entendez guère
Youpe! youpe! sur la rivière
Vous ne m'entendez pas

COUPLETS

1 Par un dimanche au soir, m'en allant promener
   Et moi et pis François, tous deux de compagn**ée**
   Chez le bonhomme Gauthier, nous 'vons 'té veiller
   Je vais vous raconter l'tour qui m'est arrivé.

2 J'ai allumé ma pipe, comme c'était la façon
   Disant quelques paroles aux gens de la maison
   Je dis à Délima « Me permettriez-vous
   De m'éloigner des autr's et de m'approcher d'vous »

3 « Ah! oui, vraiment, dit-elle, avec un grand plaisir
   Tu es venu ce soir, c'est seulement pour en rire
   Tu es trop infidèle, pour me parler d'amour
   T'as la p'tite Jérémie que tu aimes toujours ».

4 Revenons au bonhomme qu'est dans son lit couché
   Criant à haute voix: « Lima va te coucher!
   Les gens de la campagn', des vill's et des faubourgs
   Retirez-vous d'ici, car il f'ra bientôt jour ».

5 J'n'attends pas qu'on me l'dise, pour la seconde fois
   Et je dis à François: « T'en viens-tu quant é moi
   Bonsoir ma Délima, je file mon chemin »
   Je m'en allai nu-tête, mon chapeau à la main.

Youpe! youpe! sur la rivière

PAR UN DI-MANCHE AU SOIR, M'EN AL-LANT PRO-ME- NER, ET
MOI ET PIS FRAN-ÇOIS, TOUS DEUX DE COM-PA- GNIE CHEZ
LE BON-HOMME GAU- THIER, NOUS A- VONS 'TÉ VEIL- LER, JE
VAIS VOUS RA-CON- TER L'TOUR QUÉ M'EST AR- RI- VÉ. YOUP-PÉ,
YOUP- PÉ, SUR LA RI - VIÈ-RE VOUS NE M'EN- TEN- DEZ GUÉ- RE
YOUP- PÉ, YOUP- PÉ SUR LA RI - VIÈ-RE VOUS NE M'EN-TEN-DEZ PAS.

IMPRIMÉ AU QUÉBEC